Maria Balì - Giovanna Rizzo - Luciana Ziglio

NEW Italian Espresso

WORKBOOK

intermediate and advanced

Italian course for English speakers

Direzione editoriale: **Ciro Massimo Naddeo**
Redazione: **Diana Biagini** e **Marco Dominici**
Layout: **Lucia Cesarone** e **Andrea Caponecchia**
Copertina: **Lucia Cesarone**
Impaginazione: **Andrea Caponecchia**
Illustrazioni: **ofczarek!**

Printed in Italy
ISBN: 978-88-6182-575-8

ALMA Edizioni
Viale dei Cadorna, 44
50129 Firenze
tel + 39 055 476644
fax + 39 055 473531
alma@almaedizioni.it
www.almaedizioni.it

49 open audio file (number **49** in this example) in the **New Italian Espresso site** (www.almaedizioni.it/newitalianespresso).

Indice

ti ricordi?

1 Passato prossimo o imperfetto

Leggi le frasi e seleziona quelle corrette.

1 Samuele a settembre andava al cinema quattro volte. ☐
2 Samuele da ragazzo andava spesso al cinema. ☐
3 Samuele andava al cinema quando c'era un film interessante. ☐
4 Ieri sera Samuele andava al cinema. ☐
5 Samuele ha cenato al ristorante e poi è andato al cinema. ☐
6 Ieri Samuele stava al cinema per 4 ore. ☐
7 Qui c'è stato il mio cinema preferito. Ora c'è una banca. ☐

2 Combinazioni

Collega le frasi delle due colonne.

1 Valentina ha cambiato casa perché
2 Sono venuto in bicicletta perché
3 Non hanno ottenuto il posto di lavoro perché
4 Ho cambiato lavoro perché
5 Non sono andata al mare perché
6 Non ho comprato quella gonna perché
7 Non ho fatto la spesa perché
8 Siamo arrivati in ritardo perché

a ho perso le chiavi della macchina.
b ne ho trovato uno migliore.
c il supermercato era chiuso.
d aveva bisogno di più spazio.
e non c'era della mia taglia.
f abbiamo perso il treno.
g non era bel tempo.
h non parlavano l'inglese.

3 Passato prossimo o imperfetto

Completa le frasi con l'imperfetto o il passato prossimo.

1 (*Io - sapere*) ________________ che ti sei laureato, bravo!
2 Dove (*tu - conoscere*) ____________________ la tua ragazza?
3 Quando (*io - arrivare*) ____________________ a Barcellona tre anni fa,
non (*conoscere*) ________________ nessuno.
4 Ma sì, Luca (*abitare*) __________________ per due anni a Londra,
non lo (*tu - sapere*) _____________?
5 Scusateci per il ritardo, ma non (*conoscere*) ____________________ bene la strada.
6 Beh, allora? I tuoi genitori (*conoscere*) ______________________ già Marco o ancora no?
7 Oddio, io (*preparare*) __________________ l'arrosto e tu sei vegetariano, scusami,
ma non lo (*sapere*) ________________!

4 *Sapere* e *conoscere* al passato prossimo e imperfetto

Completa il testo con i verbi sapere *e* conoscere, *al passato prossimo o all'imperfetto.*

Vi racconto una storia di alcuni anni fa.
Quando ______________ David, non ______________ niente di lui. Devo dire che è stato molto gentile: quando mi ha vista senza chiavi, davanti alla porta di casa a mezzanotte, è subito venuto ad aiutarmi: "Non sono cattivo, abito qui davanti, Le serve aiuto?" Io, anche se non lo ______________, mi sono subito fidata di lui, con quel sorriso...!
Gli ho detto che quella non era casa mia, ero in affitto per un mese, in vacanza, ma il numero di telefono della proprietaria era dentro casa, insieme alle chiavi. Non ______________ come fare. Lui mi ha detto subito che ______________ bene la proprietaria e che aveva anche il suo numero di telefono. Con il suo aiuto sono riuscita a rientrare in casa.
Il giorno dopo mi ha invitato a cena a casa sua. ______________ solo il suo nome, e ______________ che era inglese.
A un certo punto, in modo molto gentile, mi ha detto: "______________ che lei è una giornalista abbastanza importante. Me lo ha detto la Sua padrona di casa". Io ero un po' in imbarazzo, ma lui ha continuato: "e si occupa anche di sport?". "No, perché?" - ho risposto io. Lui ha cambiato discorso e abbiamo passato una bella serata insieme. Due mesi dopo, mentre guardavo la televisione, l'ho visto. Mi sono girata verso la mia amica e le ho detto: "Ma io quello lo conosco!".
Eh già, ora posso raccontarlo: posso dire che ______________ David Beckam, forse il calciatore più famoso del mondo! Già... ma non l'ho riconosciuto!

> *Non leggere solamente le letture che sono nel libro, ma anche altro materiale autentico su giornali, riviste, siti internet, blog, ecc, e sottolinea tutte le informazioni che capisci.*

consiglio

1

5 *Volevo...*

Collega le parti di sinistra con quelle di destra e fai delle frasi.

1 Volevo chiederti se
2 Volevamo chiedervi se
3 Volevo andare al mare,
4 Scusa, volevi sapere
5 I ragazzi volevano sapere se

a ma poi ha cominciato a piovere.
b puoi andarli a prendere alla stazione.
c puoi darmi la macchina stasera.
d a che ora finisco di lavorare?
e volete venire a cena da noi sabato.

6 *Volevo...*

In quali casi il verbo volere *è usato per chiedere qualcosa in modo gentile?*

1. Le **volevo** fare una proposta, possiamo incontrarci? ☐
2. Ti **volevo** chiamare, ma sono stato troppo occupato. ☐
3. Ieri **volevamo** andare al cinema. ☐
4. Ti **volevo** chiedere un favore. ☐
5. Le **volevo** chiedere un'informazione. Questo treno va a Milano? ☐
6. **Voleva** raggiungere Taormina, ma ha perso l'aereo. ☐

7 Passato prossimo e imperfetto

Completa il testo con i verbi sapere *e* conoscere, *al presente, al passato prossimo o all'imperfetto, come nell'esempio*

Il 31 maggio del 2013 Pierdante Piccioni, medico di 53 anni, *(avere)* _________ un incidente in macchina. *(Rimanere)* _________ in coma per pochissime ore e quando *(risvegliarsi)* _________, *(stare)* _________ bene. Però quando *(vedere)* _________ entrare nella stanza sua moglie Assunta, *(capire)* _________ che *(esserci)* _________ qualcosa di strano: lei *(avere)* _________ le rughe, i capelli corti e di un colore diverso, *(sembrare)* _________ più vecchia. Il fatto è che, per Pierdante Piccioni, il mondo *(essere)* _________ fermo al 25 ottobre 2001, il giorno del compleanno del figlio più piccolo. Ecco gli ultimi ricordi di Pierdante: "*(io - accompagnare)* _________ mio figlio a scuola con i pasticcini per festeggiare i suoi otto anni, poi *(io - andare)* _________ al lavoro all'ospedale". Per i medici, il caso di Pierdante Piccioni ha un nome molto complicato, ma il significato è semplice: nella sua memoria c'è un buco di dodici anni. Un vuoto di ricordi, emozioni, esperienze, dolori, felicità.

Quando i suoi figli, Filippo e Tommaso, *(andare)* _________ a trovarlo in ospedale, Pierdante *(trovarsi)* _________ davanti due ragazzi con la barba, che *(frequentare)* ______ l'università. Non *(riconoscere)* _________ più i suoi bambini, li *(volere)* _________ indietro piccoli. Per Pierdante vivere "nel futuro" non *(essere)* _è stato_ facile: non *(sapere)* _________ usare il suo Ipad, tutto *(essere)* _________ strano per lui. Ma alla fine *(riuscire)* _________ ad abituarsi, anche grazie alla tecnologia. *(Leggere)* _________ tutte le mail presenti nella sua casella di posta e così *(ricostruire)* _________, almeno in parte, il suo passato.

www.ilgiornale.it

1

8 *Che e cui*

Scegli il pronome giusto.

1 Mario è un amico ***che / con cui*** esco spesso.
2 Ecco il libro ***che / di cui*** ti ho parlato.
3 Roma è la città ***in cui / di cui*** sono nato.
4 Sto leggendo un libro ***che / a cui*** mi piace molto.
5 Quello è il ragazzo ***che / a cui*** piace Maria.
6 L'italiano è una lingua ***che / per cui*** parlo bene.

9 *Che e cui*

Completa con che *o con preposizione* + cui.

1 Questa è la macchina __________ abbiamo comprato. Ti piace?
2 È quello il ragazzo __________ abita Marisa?
3 Preferisco la pizza __________ abbiamo mangiato nell'altra pizzeria.
4 Mara è una persona __________ penso spesso.
5 La camera __________ ci hanno dato non ci piace molto.
6 Signor Franceschini, questo è il ragazzo __________ Le ho parlato.
7 Alessandra è l'amica __________ scrivo più spesso.
8 È lo stesso campeggio __________ siamo stati noi l'anno scorso.

10 *Che e cui*

Riscrivi le frasi usando un pronome relativo, come nell'esempio.

1 Ho regalato un libro a Sandro. → Sandro è il ragazzo a cui ho regalato un libro.
2 Ti ho parlato di Michela. → Michela è la collega __________.
3 Lucia e Paolo hanno vissuto due anni con Livia. → Livia è la ragazza __________
__________.
4 Ho visto questo film ieri al cinema. → Questo è il film __________.
5 Ho comprato ieri queste mele. → Queste sono le mele __________.
6 Sono cresciuto in questa casa. → Questa è la casa __________.
7 I miei vicini erano davvero molto rumorosi. Ho cambiato casa per questo motivo. →
Questo è il motivo __________.
8 Mia nonna mi ha regalato questo abito. → Questo è l'abito __________.

1

11 Espressioni di sorpresa e di dispiacere

Leggi i minidialoghi e indica se le espressioni ***evidenziate*** *sono usate in maniera appropriata.*

1. ■ Sai che mi sono finalmente laureata?
   ▼ **Che disastro!**
   ☐ corretta ☐ sbagliata

2. ■ Ho vinto 1000 euro alla lotteria!
   ▼ Non lo sapevo, **mi dispiace.**
   ☐ corretta ☐ sbagliata

3. ■ Lo sai che Flavia e Marino si sono lasciati?
   ▼ **Ma dai!**
   ☐ corretta ☐ sbagliata

4. ■ Oggi la metropolitana non funziona!
   ▼ **Roba da matti!**
   ☐ corretta ☐ sbagliata

5. ■ A luglio io e Sara ci sposiamo!
   ▼ **Che peccato!**
   ☐ corretta ☐ sbagliata

6. ■ Camilla non trova parcheggio e lo spettacolo sta per cominciare...
   ▼ **Che guaio!**
   ☐ corretta ☐ sbagliata

1

12 Gli alterati

Completa la tabella dei nomi alterati.

	+	-
piatto	piattone	piattino
quaderno		
strada		
macchina		
cucchiaio		

13 *Farcela*

Completa le frasi con farcela. *Attenzione al tempo adatto (presente o passato prossimo).*

1 Sono stanco, non _______________ più a lavorare!

2 Ha chiamato Francesco. Voleva dirti che ieri non _________________ a prendere il treno.

3 Ti ringrazio, ma _________________ anche da sola.

4 Ragazzi, _______________ a portare le valigie da soli?

5 Ingegnere, _________________ ad essere qui in ufficio per le sette e mezzo?

6 Siamo usciti presto di casa, ma non _________________ ad arrivare in tempo alla stazione.

14 *Andarsene*

Completa le frasi con il verbo andarsene.

1 Luigi di solito ____________________ alle 8.00.

2 A teatro mi sono annoiata e ______________________ quasi subito.

3 Carla è ancora in ufficio? – No, ______________ appena ______________.

4 Siete rimasti ancora a lungo alla festa? – No, ____________________ poco dopo di voi.

5 La tua amica ____________________ o resta a cena con noi?

6 (*Voi*) _________________________ già? Non aspettate Franco?

15 *Farcela* o *andarsene*?

Completa le frasi con il verbo giusto.

1 Perché ***ce la fai / te ne vai*** già? Non stai bene qui con noi?

2 *(durante una maratona)* Non arrenderti Mila! Puoi ***farcela / andartene!*** Manca solo un chilometro!

3 Non ***ce la faccio / me ne vado*** più a sopportare il mio capo! Voglio cambiare lavoro!

4 Perché Luca ***ce l'ha fatta / se n'è andato*** sbattendo la porta? È successo qualcosa?

5 Scusami, ieri non ***ce l'ho fatta / me ne sono a andato*** a fare la spesa. La faccio oggi.

6 Appena Letizia ha visto entrare Bianca, ***ce l'ha fatta / se n'è andata***. Non la sopporta.

7 Basta, ***ce la faccio / me ne vado*** a casa. Sono troppo stanca.

1

come va?

> *Ripeti ogni tanto i nomi del corpo in italiano: dilli ad alta voce indicandoli sul tuo corpo.*

consiglio

1 Lessico
Da chi vai se...

1. hai problemi agli occhi? ______________
2. sei raffreddato? ______________
3. hai mal di denti? ______________
4. hai mal di schiena? ______________

2 Lessico
Come si chiamano le parti del corpo?

2

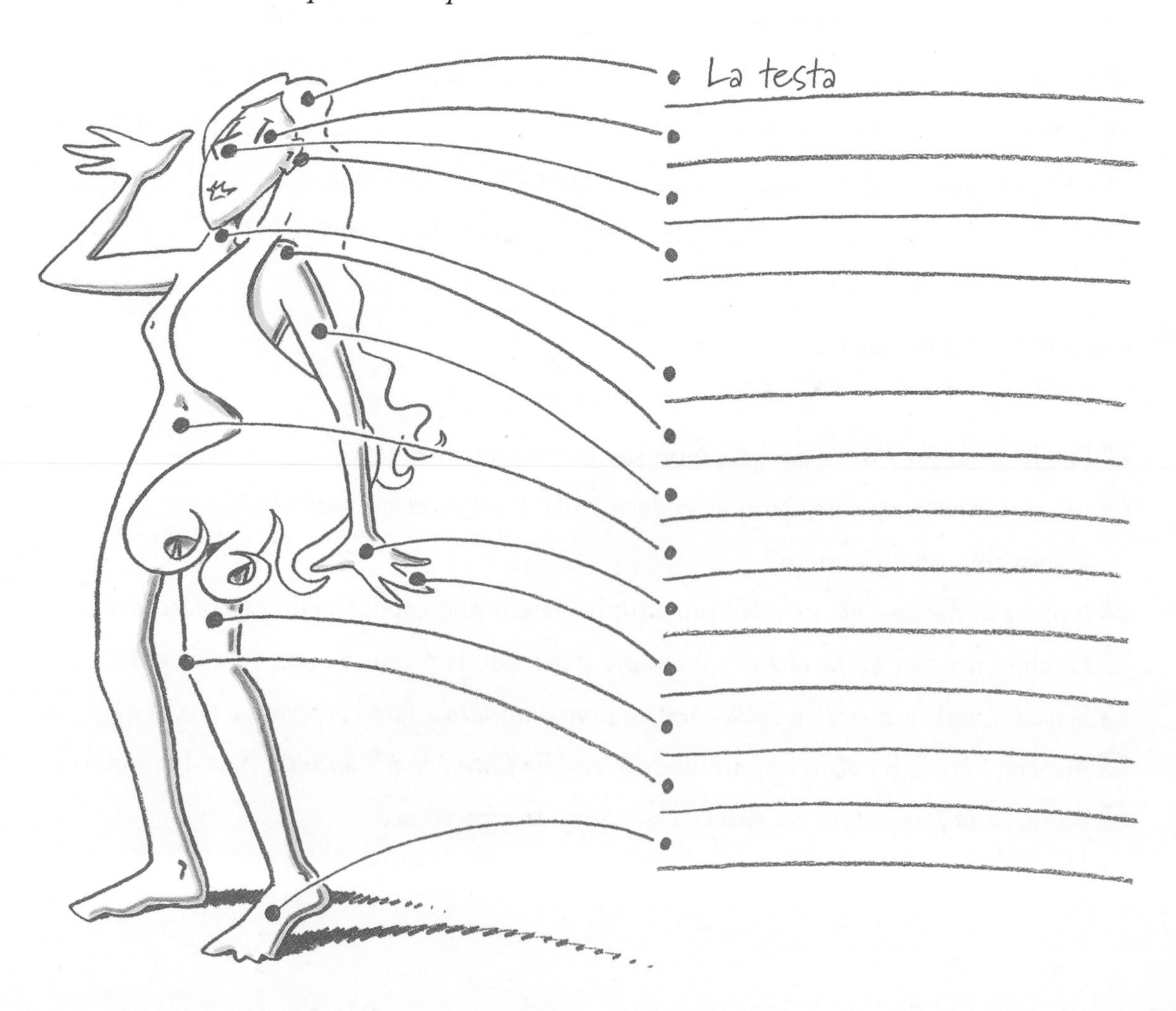

3 Lessico

Abbina le frasi ai disegni.

1 Oddio, che mal di denti!

2 Ho una terribile allergia ai fiori!

3 Ho mangiato qualcosa che mi ha fatto male!

4 Oggi non vado a scuola, ho il raffreddore!

5 Che mal di schiena!

6 Non posso lavorare con questo mal di testa!

2

4 Imperativo formale

Completa con le forme mancanti.

Tu	Lei
Entra pure!	________________!
Senti, scusa!	________________!
Prendi ancora un po' di vino!	________________!
________________!	Ascolti questa canzone!
________________!	Scriva una mail!
Parla più forte, non capisco!	________________!
Dormi di più!	________________!

Nella forma del tu:
i verbi in *–are* terminano in _______,
i verbi in *–ere* terminano in _______,
i verbi in *–ire* terminano in _______.

Nella forma del Lei:
i verbi in *–are* terminano in _______,
i verbi in *–ere* terminano in _______,
i verbi in *–ire* terminano in _______.

Impara le forme irregolari dell'imperativo insieme all'infinito.

consiglio

5 Imperativo formale

Completa il cruciverba con l'imperativo di ogni verbo (con il Lei), come nell'esempio.

orizzontali
1 venire
2 stare
5 salire
6 dire
7 avere

verticali
1 andare
3 fare
4 tenere
5 essere
6 dare

6 Imperativo formale

Completa le frasi con i verbi all'imperativo (con il Lei). Quando è necessario, usa la forma negativa.

leggere un libro | mangiare cose pesanti | fare yoga | andare a letto | fare un po' di sport | chiamare qualche amico | stare troppo tempo al sole | ordinare una pizza | prendere un'aspirina

1. È stanco? Allora __________
2. Non ha voglia di guardare la TV? Allora __________
3. Non ha voglia di cucinare? Allora __________
4. Vuole tenersi in forma*? Allora __________
5. Ha problemi alla pelle? Allora __________
6. Si sente solo? Allora __________
7. Vuole rilassarsi? Allora __________
8. È raffreddato? Allora __________
9. Ha problemi con lo stomaco? Allora __________

* tenersi in forma = stare bene fisicamente

7 Imperativo formale

Trasforma le frasi dal tu al Lei.

1. La spesa non farla in quel negozio! — Signora, ____________________!
2. Fammi un favore! — ____________________!
3. Le chiavi mettile sul tavolo! — ____________________!
4. L'acqua non comprarla gasata! — ____________________!
5. Vieni, accomodati! — ____________________!
6. I libri portali in biblioteca, per favore! — ____________________!
7. Le scarpe non comprarle troppo strette! — ____________________!

8 Comparativo e superlativo di *bene* o *buono*

Completa le due scale con le parole mancanti.

bene | buono | meglio | migliore

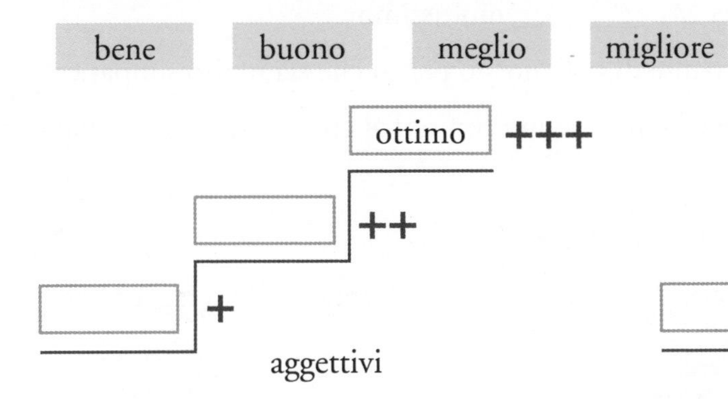

benissimo +++

++

+

avverbi

9 Meglio o migliore?

Completa le frasi con meglio *o* migliore.

1. Sì, questo computer è sicuramente ____________, ma è anche più caro!
2. Ti dico che questa è la strada ____________!
3. Secondo me è ____________ se andiamo domani a far la spesa.
4. Guarda, a volte con questo traffico la cosa ____________ è andare a piedi!
5. Che dici, è ____________ se gli scrivo o se lo chiamo?
6. Mah, per me Marco parla inglese ____________ di Andrea.

10 Comparativo e superlativo di *bene* o *buono*

Completa i dialoghi con meglio, migliore, benissimo *o* ottima/-a.

1. ■ Senti, che ne dici di un gelato?
   ▼ Sì, è un'____________ idea!
2. ■ Allora, ti è piaciuto il pranzo?
   ▼ Sì, era veramente ____________!
3. ■ È ____________ andare in macchina.
   ▼ Va ____________, ma guidi tu!
4. ■ Hai visto com'è dimagrita Laura?
   ▼ Sì, ora sta veramente ____________ di prima.
5. ■ Il Barolo è un ____________ vino.
   ▼ Sì, ma io preferisco il Chianti. Per me è un vino ____________ del Barolo.

11 Il verbo *servire*

Completa le frasi con il verbo servire.

1. Guarda che non ti ____________ a niente tutte queste diete!
2. I tuoi consigli non mi ____________, grazie!
3. Quanto pane hai detto che ci ____________?
4. Le ____________ qualcos'altro?
5. Per fare il dolce, mi ____________ ancora due uova.

12 I verbi *servire, piacere, mancare, sembrare*

Completa con il verbo giusto, coniugandolo correttamente.

1. Non vedo Paola da più di un mese. Mi ________ moltissimo…
2. Come ti ________ la nuova insegnante di italiano? Io penso che sia molto simpatica!
3. Se vi ________ i film di azione, perché non venite con noi al cinema stasera? Andiamo a vedere il nuovo film di 007!
4. A cosa ti ________ 12 uova? Vuoi fare un dolce?
5. Non mi ________ una buona idea andare al mare oggi. A ferragosto le spiagge sono piene di gente!
6. Quanti esami ti ________ per laurearti? Due o tre?
7. Mara e Stella mi ________ un po' pensierose oggi… È successo qualcosa?
8. Stefano, ti ________ il vino bianco o preferisci quello rosso?
9. Per superare questo esame mi ________ un po' di aiuto. Penso di rivolgermi a un'insegnante privata.

INFOBOX

Il Servizio Sanitario Nazionale per gli stranieri.

Il Servizio Sanitario Nazionale (SSN) è un insieme di strutture e servizi che assicurano l'assistenza sanitaria a tutti i cittadini italiani e stranieri. Per ricevere assistenza, uno straniero che vive in Italia deve avere la tessera sanitaria, il documento che prova l'iscrizione al SSN. L'iscrizione si fa presso le Aziende Sanitarie Locali (ASL) e dà diritto alla scelta del medico e all'assistenza specialistica. I turisti, in caso di malattia, possono rivolgersi alla farmacia di turno o al pronto soccorso dell'ospedale di zona.

13 Lettura

Completa il testo con le cifre mancanti.

30.000	70%	5,5 milioni	13%	nove milioni	tre

Nove milioni di italiani, sopratutto del Nord e donne, si rivolgono a omeopatia, massaggi, fitoterapia e agopuntura per curare i propri problemi di salute. E in 10 anni sono triplicati.

__________ di italiani amano le cure alternative. È quanto emerge da un'indagine condotta dall'Istat intervistando un campione formato da __________ famiglie. Pari al 15,6% della popolazione totale, il numero di coloro che si rivolgono alla medicina alternativa è triplicato in meno di dieci anni anche se con notevoli differenze all'interno del Paese: un italiano su quattro al Nord, uno su sei al Centro e uno su quindici al Sud. A preferirle sono soprattutto le donne (__________ contro 3,5 milioni di uomini) e di buon livello culturale. Anche il 10,4% dei genitori sceglie le cure alternative per i propri figli fra i _____ e i cinque anni. Tra le diverse forme di cure che vanno sotto l'unica etichetta di «alternative» è l'omeopatia la più popolare, seguita da massaggi, fitoterapia e agopuntura.

Le ragioni per cui gli italiani vi si rivolgono sono estremamente diverse: il __________ degli intervistati le considera meno tossiche di quelle convenzionali, per il 22,6% rappresentano l'unico rimedio contro certe malattie, per il 20% sono più efficaci, mentre per il __________ instaurano un miglior rapporto tra medico e paziente.

2

14 Plurali irregolari

Quali plurali sono giusti? Quali sbagliati?

singolare		plurale	singolare		plurale
il dito	→	le dita	il ginocchio	→	le ginocchia
il braccio	→	le braccia	la mano	→	le mane
l'orecchio	→	le orecchia			

15 Ricapitoliamo

Scrivi cosa consigli per alcune malattie. Cosa fai quando sei malato/a?

egregio Dottor...

> *È molto importante sapere cosa dire in particolari situazioni. Perciò è utile avere alcune frasi pronte per l'uso. La cosa migliore è impararle a memoria.*

consiglio

1 Futuro semplice

Completa il testo con i verbi al futuro. I verbi non sono in ordine.

partire · andare · ritornare · restare · avere · andare · sposarsi · vivere · trasferirsi

Dopo il diploma non ____________ all'università. Ho intenzione di lavorare e di aprire un negozio di fiori. ____________ nella mia città e non ____________ come hanno fatto i miei fratelli. Però non ____________ con i miei genitori. Infatti ho deciso che ____________ ad abitare da sola.

Prima o poi di sicuro ____________ e ____________ dei figli, ma adesso preferisco non avere un ragazzo fisso. Ma quanti progetti! Intanto domani ____________ per la Sardegna e ____________ a casa più o meno fra due settimane.

INFOBOX

Cosa farò da grande? Ogni studente, quando arriva all'ultimo anno di scuola, si fa spesso questa domanda: «Quale facoltà scegliere all'università?» In Italia sempre meno giovani scelgono facoltà scientifiche. Il numero degli iscritti a Fisica, Matematica, Chimica, Biologia è in diminuzione, malgrado questi siano i settori strategici del futuro.

2 Azione futura o supposizione?

Leggi le frasi e indica quali esprimono una supposizione e quali un'azione futura.

	azione futura	supposizione
1 Flavia comincerà il suo nuovo lavoro domani.	☐	☐
2 Guido farà un colloquio giovedì.	☐	☐
3 Lei parlerà molto bene l'inglese se ha vissuto un anno in America.	☐	☐
4 ■ Quanti anni ha il candidato? ▼ Non so, ne avrà 35.	☐	☐
5 Al colloquio ti chiederanno se parli l'inglese.	☐	☐
6 ■ Quanti candidati ci sono per questo lavoro? ▼ Mah, saranno 30.	☐	☐

3 Futuro semplice

Scrivi i verbi al futuro. Alla fine nelle caselle colorate potrai leggere la continuazione della frase del titolo.

		1	2					3		4							5	6	7		8
	9																				
	10										11										
12													13								
						14															
							15						16							17	
							18														
					19	20															
						21									22						
		23										24									
										25											
26										27											

orizzontali

1 essere (tu)
3 comprare (lui)
9 essere (noi)
10 avere (tu)
12 arrivare (tu)
14 abitare (loro)
15 vivere (io)
16 scoprire (tu)
18 essere (io)
19 fare (tu)
21 volere (tu)
22 leggere (lei)
23 comprare (tu)
24 vedere (voi)
25 stare (loro)
26 lavorare (tu)
27 avere (loro)

verticali

2 arrivare (noi)
4 mangiare (io)
5 pagare (io)
6 dovere (tu)
7 pagare (voi)
8 vivere (tu)
9 essere (loro)
11 fare (io)
13 insegnare (lei)
17 andare (voi)
20 avere (io)

Se andrai avanti così ______________________________

3

4 *Bisogna*

Forma delle frasi.

1. Per non trovare traffico
2. Il treno è diretto, quindi
3. Per trovare un lavoro
4. L'entrata è gratis, quindi
5. Quando si è al cinema
6. Se si vuole lavorare nel turismo

bisogna

non bisogna

a. spegnere il telefonino.
b. sapere usare il computer.
c. conoscere le lingue straniere.
d. uscire presto di casa.
e. comprare i biglietti.
f. cambiare.

5 Lettura

Rileggi la lettera a p. 42 e decidi se le frasi sono vere o false.

	vero	falso
1 Francesca abita a Milano.	☐	☐
2 Ha letto l'annuncio di lavoro su un giornale.	☐	☐
3 Ha una laurea in lingue.	☐	☐
4 Ha lavorato per un periodo all'estero.	☐	☐
5 Parla bene più di una lingua straniera.	☐	☐

INFOBOX

Il sistema scolastico.

La scuola italiana prevede una scuola di base, obbligatoria per tutti, costituita da 5 anni di scuola elementare, 3 anni di scuola media e 2 anni di scuola superiore; dal 2007, infatti, l'obbligo è stato alzato fino al 16° anno di età. Dopo l'esame di licenza media il ragazzo può scegliere di frequentare una Scuola professionale di tre anni o un Istituto superiore per una durata di cinque anni. Alla fine del quinto anno delle scuole superiori è previsto l'esame di maturità, che consiste in tre prove scritte e una orale con un punteggio finale in centesimi. Poi il ragazzo può iscriversi ad un corso di laurea (di quattro o più anni) o ad un corso di «laurea breve» di tre anni.

6 Lessico

Metti le frasi nella colonna giusta.

Egregio dottor Sforza, | Grazie per l'informazione. | Gentile signora, | Caro Alessandro | Le porgo i miei più cordiali saluti. | La ringrazio per l'attenzione. | A presto! | come stai? | Hai l'indirizzo di...? | Le invio il mio curriculum. | Mi permetto di presentare domanda... | Avrei una domanda da farti:

	informale	*formale*
apertura della lettera:	______________	______________
parte centrale:	______________	______________
	______________	______________
	______________	______________
	______________	______________
chiusura della lettera:	______________	______________

7 *Le* o *La*?

Forma delle frasi usando il pronome giusto.

1 Signora Bruni, sabato sera ha tempo?
2 Ha bisogno di un cellulare? Non c'è problema,
3 È sicuro che non disturbo?
4 Ha un attimo di tempo?
5 Signor Nardoni, è stato molto gentile a venire.
6 No, non prenda la macchina,

La | Le

vengo a prendere io.
presto il mio.
ringrazio tanto.
vorrei domandare una cosa.
posso chiamare anche alle 7.30.
vorrei invitare all'opera.

8 *Mettere* o *metterci*

Completa le frasi con il verbo mettere *o* metterci *al presente.*

1 Mia sorella insieme agli stivali ____________ sempre i jeans.
2 Di solito per andare a lavorare uso la macchina, l'autobus ____________ troppo tempo.
3 Mio figlio non ____________ mai in ordine la sua stanza!
4 Per andare da casa alla palestra io ____________ dieci minuti.
5 No, no, prendiamo l'autostrada! Con la strada normale ____________ troppo.

9 Lettura

Completa il dialogo con i verbi della lista.

abita	ci metto	ci sono	è	è	faremo	imparo
leggo	mi piace	sarà	si pentirà	sono		

■ Buongiorno.
▼ Buongiorno, allora, se non sbaglio, Lei __________ la dottoressa Lorenzotti...
■ Sì.
▼ Bene. __________ sul suo curriculum che Lei non ha alcuna esperienza di lavoro di segreteria.
■ No, ma __________ presto. E poi __________ l'idea di stare a contatto con il pubblico.
▼ Lei __________ lontano da qui?
■ No, in bicicletta __________ un quarto d'ora. Mentre in autobus... mah, più o meno (*io*) __________ mezz'ora perché la zona non __________ collegata benissimo. In ogni caso io __________ molto puntuale. Se deciderà di prendere me, sicuramente non __________ della scelta.
▼ Ok, ok. Però __________ anche altre candidate...
■ Sì, sì, certo.
▼ Va bene, allora le __________ sapere. Grazie dottoressa.
■ Grazie a Lei, arrivederci.
▼ Arrivederci.

3

10 Periodo ipotetico

Collega le frasi e metti i verbi al futuro.

1 Se Paolo arriva di nuovo tardi
2 Se qui non è possibile lavorare part-time
3 Se non ti sbrighi
4 Se mi aiuti anche tu a mettere in ordine
5 Se non è in casa
6 Se il lavoro non ti piacerà

a mi (*cercare*) __________ un altro lavoro.
b non lo (*aspettare*) __________ mai più!
c (*io - finire*) __________ prima.
d (*tu - perdere*) __________ il treno.
e (*potere*) __________ sempre cercarne un altro!
f lo (*io - chiamare*) __________ sul cellulare.

11 Futuro semplice per esprimere ipotesi

Rispondi alle domande come nell'esempio.

Secondo te che taglia porta Angela? Mah porterà la 44.

1. Secondo te quanti anni ha Marcello? Mah, __________ più o meno 40 anni!
2. Che ore sono? Mah, __________ quasi le due.
3. Sai a che ora arriva Teresa? Mah, __________ verso l'ora di cena.
4. Ma dove sono i bambini? Non lo so, __________ in giardino.
5. A che ora finisci di lavorare oggi? Mah, __________ verso le cinque.
6. Quanto tempo ci vuole per arrivare? Mah, __________ un paio d'ore!

12 Pronomi

Collega le domande alle risposte e completa con i pronomi.

1. Hai mandato la mail a Ugo?
2. E Luisa come sta?
3. Può seguire quella macchina per favore?
4. Hai sentito Mauro?
5. E il tuo cane, dov'è?

a. Ancora no. ______ chiamo domani.
b. Bene, ______ ho telefonato ieri.
c. No, ______ scrivo subito.
d. ______ ho lasciato a casa.
e. Sì, ______ seguo subito!

3

13 Pronomi

Completa il dialogo con i pronomi.

■ È da una settimana che ho un terribile mal di schiena. Non riesco a muovermi!
▼ ______ è già successo altre volte?
■ Sì, però mai così!
▼ Sei andato dal medico?
■ No, ______ vado la prossima settimana. Però ______ ho chiamato.
▼ E cosa ______ ha detto?
■ Eh, ha detto che ______ deve visitare, e che potrebbe dipendere dallo stress.
▼ Eh, forse lavori troppo.
■ Sì, lavoro troppo e mi muovo poco... ______ dice sempre anche mia moglie!
▼ Mia moglie ______ dice la stessa cosa!
■ Beh, forse hanno ragione. Comunque voglio parlare con il capo.
▼ Di cosa? Di tua moglie?
■ Ma no! Del mal di schiena! ______ voglio chiedere se posso prendere un paio di giorni di vacanza.

14 Ricapitoliamo

Hai progetti di lavoro? Ci sono forse delle cose delle quali non sei ancora soddisfatto/a? Pensa sognando al futuro e di' cosa faresti se...

colpo di fulmine

> *Ogni occasione è buona per parlare in italiano o ascoltare l'italiano: in questo può esserti d'aiuto Internet e soprattutto ALMA.tv, la web tv dove non trovi solo video sulla lingua e la cultura italiana, ma anche attività da scaricare, esercizi online e dove puoi scambiare le tue opinioni con la comunità degli utenti!*

consiglio

1 *Mentre* o *durante*?

Completa le frasi con mentre *o* durante.

1. __________ aspettavo l'autobus ho incontrato Cristina.
2. D'accordo, allora ti chiamo __________ la pausa.
3. Ho portato dei panini, così se __________ il viaggio abbiamo fame...
4. Guarda cosa ho trovato __________ mettevo in ordine la cantina!
5. __________ tu fai la fila, io vado a comprare qualcosa da mangiare, va bene?
6. Non sopporto la gente che tiene i cellulari accesi __________ i concerti.

4

2 *All'inizio, alla fine, finalmente*

Completa le frasi con all'inizio, alla fine, finalmente.

1. No, no, non mi va di andare da Giulia e Massimo. È vero, __________ mi erano simpatici, ma da un po' di tempo sono cambiati e non mi ci trovo più tanto bene!
2. __________ il corso non mi piaceva molto, poi è arrivata una nuova insegnante e adesso ci vado molto volentieri.
3. Allora, prima prepari la carne e __________ ci aggiungi del limone.
4. Che bello! Sabato __________ partiamo per le vacanze!
5. Si sono conosciuti in treno e si sono subito innamorati: __________ sembrava andare tutto bene, ma poi hanno cominciato a litigare perché lui non voleva trasferirsi nella città dove abita lei. __________ si sono lasciati e ora... vivono nella stessa città!

3 Verbi

Metti le frasi <u>sottolineate</u> nella categoria giusta.

1. Gianni <u>stava per telefonare</u> al suo amico Tommaso.
2. Tommaso <u>è arrivato</u> e gli <u>ha spiegato</u> perché ha fatto tardi.
3. Tommaso ha detto che un ladro gli <u>ha rubato</u> la giacca mentre <u>stava pagando</u> alla cassa.
4. Alla stazione di polizia <u>ha incontrato</u> una ragazza.
5. Mentre Tommaso e la ragazza <u>aspettavano</u> il loro turno, hanno iniziato a parlare.
6. Tommaso non l'ha invitata a bere qualcosa perché mentre <u>stavano per uscire</u>...

Azione non ancora iniziata: ____________________

Azione in corso: ____________________

Azione finita: ____________________

4 *Stare per* o *stare* + gerundio?

Guarda i disegni e completa le frasi con stare per + *infinito o* stare + *gerundio.*

1. Renato (*fumare*) ____________________ una sigaretta, ma poi si è accorto che era vietato.
2. Licia e Davide (*ballare*) ____________________ quando siamo arrivati.
3. La signora Carlini (*cenare*) ____________________ quando è squillato il telefono.
4. Daniela (*leggere*) ____________________ quando sono entrato in cucina.
5. Leo (*suonare*) ____________________ il pianoforte quando sono andata a chiamarlo.
6. Gianni e Teresa (*uscire*) ____________________ quando Maria li ha chiamati.

5 Verbi

Completa il dialogo con i verbi al tempo giusto. Attenzione: devi usare una volta stare per *e una volta* stare + *gerundio.*

■ Ah, finalmente, ma che fine (*tu - fare*) ________________?

▼ Mi dispiace, scusami ma stamattina mi (*succedere*) ________________ veramente di tutto!

■ Perché? Che ti (*succedere*) ________________? Racconta!

▼ Beh, tanto per cominciare (*rovinare*) ________________ una camicia nuova.

■ Come (*fare*) ________________, scusa?

▼ E niente (*io - stirare*) ________________ la mia camicia preferita... e ad un certo punto (*squillare*) ________________ il telefono...

■ E (*lasciare*) ________________ il ferro da stiro acceso... bravo!

▼ Eh, ma non è tutto. (*Prendere*) ________________ l'autobus, ma siccome (*essere*) ________________ in ritardo, (*decidere*) ________________ di prendere la macchina.

■ Ah, ah.

▼ E quando (*arrivare*) ________________ in garage, (*accorgersi*) ________________ di aver dimenticato le chiavi a casa.

■ Un po' distratto, eh!

▼ Molto distratto! Davanti alla porta di casa infatti, (*accorgersi*) ________________ di non avere neanche quelle di casa.

■ Oh, no!

▼ Eh, sì. Per fortuna che la vicina ne ha un paio.

■ Beh, meno male...

▼ Sì, peccato però che non (*esserci*) ________________!

6 Combinazioni

Collega le frasi di sinistra con quelle di destra.

1 La sai l'ultima?
2 Franco e Paola si sono lasciati di nuovo.
3 Non ti immagini cosa mi è successo stamattina!
4 Eh, niente così abbiamo cominciato a parlare.

a Cosa ti è successo, sentiamo!
b E poi?
c Sul serio?
d No, dimmi!

7 Lettura

Rileggi il testo a p. 58 e indica se le affermazioni sono vere o false.

	vero	falso
Testo A		
1 Eleonora e suo marito si sono conosciuti in estate.	☐	☐
2 Lavoravano in due uffici vicini, ma non si conoscevano.	☐	☐
3 Lui le ha chiesto il numero di telefono.	☐	☐
4 Si sono sposati due anni dopo il loro incontro.	☐	☐
Testo B		
1 Luca ha conosciuto la ragazza durante un concerto di piano.	☐	☐
2 Lei era una ragazza timida.	☐	☐
3 Luca stava parlando al telefono quando ha sentito suonare il pianoforte.	☐	☐

8 Combinazioni

Abbina le parole per formare le espressioni che hai incontrato in questa lezione e poi scrivi quattro frasi, una per ogni espressione.

1 principe	gemella
2 agenzia	di fulmine
3 anima	matrimoniale
4 colpo	azzurro

1 ________________________________
2 ________________________________
3 ________________________________
4 ________________________________

INFOBOX

Matrimonio? No, grazie!

Da recenti indagini risulta che gli italiani oggi non ci pensano proprio a sposarsi. Infatti, dopo fidanzamenti lunghissimi, specialmente a causa della maggiore durata degli studi, le coppie decidono di convivere. Chi si sposa, lo fa comunque dopo un periodo di convivenza, a volte anche lungo.
E quali sono i luoghi di incontro delle future coppie? Nella maggior parte dei casi l'incontro avviene alle feste, in discoteca e nei luoghi di vacanza. Nel Sud, invece, ci si conosce a casa di parenti o amici oppure per strada.

9 Passato prossimo o imperfetto?

Metti i verbi al tempo giusto, come nell'esempio.

Eleonora e Claudio (*lavorare*) lavoravano in due uffici vicini, ma non (*essere*)__________ colleghi. Un giorno, (*essere*) __________ primavera, Eleonora (*decidere*) __________ di mangiare un panino in un piccolo parco lì vicino. Mentre (*mangiare*) __________ su una panchina, Claudio (*avvicinarsi*) __________ e (*chiedere*) __________ se (*potere*) __________ sedersi. Eleonora (*dire*)__________ di sì e per un po' (*mangiare*) __________ in silenzio, però Eleonora (*accorgersi*) __________ che ogni tanto lui la (*osservare*) __________. Allora (*iniziare*) __________ a parlare lei: gli (*dire*) __________ che (*lavorare*) __________ lì vicino e (*scoprire*) __________ che i loro uffici (*essere*) __________ nello stesso palazzo. Alla fine della pausa pranzo Claudio (*dare*) __________ a Eleonora il suo numero di telefono. All'inizio lei non (*avere*) __________ intenzione di chiamarlo, ma poi (*pensare*) __________ : "Perché no?" e un giorno (*darsi*) __________ appuntamento dopo il lavoro.

4

INFOBOX

Nell'era del Web due utenti su tre sono usciti con qualcuno conosciuto in Rete. E oltre la metà ha incontrato il partner così. Oggi l'amore viaggia sul web e i siti di appuntamenti aumentano di anno in anno. Noi italiani siamo al terzo posto nella classifica mondiale, con il 70% di utenti che usa Internet per conoscere l'anima gemella e poi incontrarla ovviamente nella realtà. Con la speranza che l'amore rimarrà anche offline…!

10 Il passato prossimo dei verbi modali

Collega le frasi di sinistra con quelle di destra e metti i verbi al tempo giusto.

1. Mi dispiace per ieri sera,
2. Scusami per il ritardo,
3. Io e mio marito stasera siamo soli,
4. Ho mal di schiena perché questa settimana
5. Luca è rimasto in ufficio fino alle 23.00, così

a. ma stamattina (*dovere*) __________ accompagnare mia sorella all'aeroporto.
b. non (*potere*) __________ venire alla festa.
c. non (*potere*) __________ fare yoga.
d. i bambini (*volere*) __________ rimanere con i nonni.
e. ma purtroppo all'ultimo momento (*dovere*) __________ andare a cena con la famiglia di mia moglie.

11 Il passato prossimo dei verbi modali

Completa la mail con i verbi al tempo giusto.

Carissima,
scusami se non ti ho più richiamato, ma (*dovere*) ________________ andare a scuola a prendere Tommaso perché purtroppo si è sentito male. Comunque niente di serio, era solo un mal di pancia. La cosa, tra l'altro, non mi sorprende visto che ieri (*volere*) ____________ andare al fast food (ha mangiato tre cheeseburger!). Adesso finalmente dorme, così ho un po' di tempo per me. Queste ultime settimane sono state veramente faticose, la mia collega si è ammalata e io (*dovere*) ____________ sostituirla per una settimana, così oltre al mio lavoro (*dovere*) ____________ fare anche il suo. Pensa che ho avuto così tanto da fare che non (*potere*) ____________ andare neanche a fare la spesa, (*dovere*) ____________ andarci mia madre. Comunque dalla prossima settimana sono in vacanza così ci possiamo finalmente vedere.
Ti abbraccio
Stefania

12 Congiunzioni

Completa il testo con le congiunzioni della lista.

allora | perché | però | però | quando | quindi

Elegante, affascinante: le ricerche confermano che la galanteria non è passata di moda.

Vediamo ____________ quali sono i principali gesti e attenzioni che il perfetto galantuomo dovrebbe mettere in pratica.

- **Il baciamano:** può sembrare un'usanza superata e ____________ per questo poco usata ai giorni nostri. Rimane comunque un gesto molto elegante se fatto con stile. Si usa per occasioni e persone particolari.
- **Aprire la porta:** è un gesto molto apprezzato per esempio ____________ si sta uscendo da un locale e si fa passare per prima la donna. Se ____________ un uomo e una donna stanno per entrare in un luogo sconosciuto, l'uomo dovrebbe entrare per primo e tenere poi la porta aperta per la donna.
- **Pagare il conto:** oggi in molti casi si preferisce dividere, ____________ la parità tra uomo e donna elimina le differenze. ____________ in alcune occasioni è importante dare all'uomo la possibilità di fare questo gesto galante.

13 Ricapitoliamo

Cosa fai quando vuoi conoscere persone nuove? Come hai conosciuto il tuo / la tua partner o il tuo migliore amico / la tua migliore amica?

test 1

TOTALE __ /100

1 Lettura

__ /10

Leggi il testo e poi indica se le affermazioni sono vere o false.

Secondo gli ultimi dati di Eurostat sulla salute fisica e mentale degli europei, gli italiani hanno dichiarato di stare meglio rispetto alla media dei paesi europei.
La maggior parte della popolazione con più di 16 anni (circa 7 persone su 10) dichiara di sentirsi bene o molto bene; il 21% afferma di sentirsi discretamente, mentre il 7,7% di stare male o molto male. All'interno di quest'ultimo gruppo l'1,3% dichiara uno stato di salute complessiva molto negativo. In Italia però è bassissima la percentuale di chi dichiara di stare "molto bene": il 10% contro un 20% medio europeo. Su questo siamo fra gli ultimi paesi fra quelli esaminati.
Al primo posto fra chi dichiara di avere uno stato di salute cattiva o molto cattiva troviamo la Croazia (il 18,7%) e la Serbia (17%). I più soddisfatti per la propria salute sono invece gli irlandesi: l'82% dichiara di sentirsi bene o molto bene; seguono gli abitanti di Cipro (78%), svizzeri e norvegesi (77,7%), olandesi e svedesi (75%), greci (74%), belgi e maltesi (73%) e infine gli spagnoli (72%) e i danesi (71%). Solo dopo arriviamo noi italiani con il nostro 70% di abitanti che dichiara buona salute, insieme a rumeni, finlandesi e austriaci.
Come è facile immaginare, è importante anche lo stato di cattiva salute psichica. Ogni intervistato dichiara di passare in media poco meno di cinque giorni al mese con problemi emotivi, ansia, depressione o stress. In Italia 6 adulti su 100 pensano che il proprio benessere psicologico sia negativo almeno 15 giorni al mese.
Naturalmente la salute psicologica ha un impatto anche sulla salute fisica: chi soffre di sintomi depressivi dichiara mediamente otto giorni in cattive condizioni fisiche.
Tuttavia, solo il 61% di chi dichiara sintomi depressivi ne parla e chiede aiuto, anche in questo caso con grandi differenze a livello regionale.
In tutto questo, il gap socio-economico si sente. I sintomi depressivi sono più frequenti all'avanzare dell'età, fra le donne, fra le classi socioeconomiche più svantaggiate (meno istruiti e/o con maggiori difficoltà economiche), fra chi non possiede un lavoro regolare e fra chi vive solo.

	vero	falso
1 Gli italiani che stanno "molto bene" sono meno che nel resto d'Europa.	☐	☐
2 Gli abitanti dell'Europa del Sud si sentono meglio di quelli del Nord.	☐	☐
3 Tutti dicono di avere problemi di ansia o stress ogni mese.	☐	☐
4 La maggior parte degli italiani ha problemi psicologici 15 giorni al mese.	☐	☐
5 Gli anziani e le donne sono più esposti alla depressione.	☐	☐

2 Contrari

__ /10

Scrivi il contrario delle seguenti parole.

1 migliore ____________ 2 benissimo ____________
3 bene ____________ 4 peggio ____________
5 ottimo ____________

3 Ascolto | Vero o falso

39 ___/10

Ascolta la telefonata tra Gustavo e Mara e poi indica se le frasi sono vere o false.

	vero	falso
1 Gustavo telefona a Mara perché lei è un medico.	☐	☐
2 Gustavo ha dei disturbi da qualche mese.	☐	☐
3 Uno dei disturbi di Gustavo è il mal di pancia.	☐	☐
4 Mara si arrabbia con Gustavo.	☐	☐
5 Secondo Mara Gustavo non deve curarsi da solo.	☐	☐
6 Mara spiega a Gustavo che cura deve seguire.	☐	☐
7 Gustavo preferisce cercare informazioni su Internet.	☐	☐
8 Mara dice che il caso di Gustavo è sicuramente grave.	☐	☐
9 Gustavo non conosce nessun dottore.	☐	☐
10 Gustavo dice di non essere tranquillo, in questo periodo.	☐	☐

4 Ascolto | Abbinamento

39 ___/10

Abbina le frasi in modo corretto.

a Ho sempre un dolore
b Dopo che ho mangiato
c Ho letto che sono disturbi
d Vai dalla tua dottoressa
e Il dolore può dipendere

1 il prima possibile.
2 da tante cose.
3 sopra lo stomaco.
4 molto comuni alla mia età.
5 mi sento peggio.

1

5 Passato prossimo e imperfetto

___/10

Completa la lettera con l'imperfetto o il passato prossimo dei verbi tra parentesi.

Caro Paolo,

oggi finalmente *(io - finire)* ho finito di scrivere la mia tesi di laurea. *(io-metterci)* 1. __________ un anno e mezzo, ma sono molto contenta del risultato.
Nell'ultimo periodo per concentrami meglio *(andare)* 2. __________ da sola nella casa in campagna dei miei genitori. *(io- passare)* 3. __________ in questo modo l'ultimo mese: tutte le mattine *(alzarsi)* 4. __________ presto e *(fare)* 5. __________ colazione in terrazza e poi *(scrivere)* 6. __________ tutto il giorno. Quando *(finire)* 7. __________ l'ultimo capitolo, *(chiamare)* 8. __________ alcuni amici che *(loro - venire)* 9. __________ a trovarmi e *(noi – fare)* 10. __________ una festa in giardino.
Ora sono tornata in città e aspetto di discutere la tesi a fine mese.
Verrai a sentirmi? Spero di sì.
Un abbraccio,
Margherita

6 Pronomi relativi

__/10

Sottolinea l'opzione corretta.

1. Questa è la villa **che / in cui** vive Saulo.
2. Livia è la persona **che / di cui** conosco meglio.
3. Il film **che / per cui** ho visto ieri sera non mi è piaciuto molto.
4. Non è questa la ragione **che / per cui** sono venuto a parlarti.
5. Finalmente ho conosciuto il ragazzo **che / di cui** mi parli sempre.

7 Imperativo formale *(Lei)*

__/10

Completa le frasi con l'imperativo formale del verbo tra parentesi.

1. *(Fare)* __________ tutti i giorni una passeggiata di almeno 20 minuti.
2. Non *(guardare)* __________ la televisione prima di dormire.
3. *(Mangiare)* __________ più verdura.
4. *(Avere)* __________ pazienza: per vedere i risultati ci vogliono almeno 2 mesi di dieta.
5. *(Leggere)* __________ questo libro sullo yoga.
6. Mi *(dire)* __________: che problema ha?
7. *(Dormire)* __________ almeno otto ore al giorno.
8. *(Tenere)* __________ un diario alimentare.
9. Non *(dimenticare)* __________ di prendere le medicine.
10. *(Smettere)* __________ subito di fumare.

8 Plurali irregolari

__/5

Completa la tabella con le forme mancanti. Attenzione: non tutti i plurali sono irregolari.

	singolare	plurale
1	il ginocchio	
2	il piede	
3		le braccia
4	la mano	
5	la gamba	

1

9 Pronomi

(__/10)

Collega le frasi e completa con i pronomi.

1. Anna viene alla festa?
2. Marcello ha bisogno di studiare con qualcuno!
3. Ricordati che devi chiamare Marco.
4. Ecco qui il Suo pacchetto.
5. Signor Grimaldi, la disturbo? Volevo sapere se ci sono novità su quel lavoro…

a. _____ ringrazio moltissimo. Arrivederci.
b. Sì, ok: _____ telefono domani.
c. Va bene, _____ aiuto io.
d. Mi scusi, oggi effettivamente sono molto occupato. _____ telefono io domani e ne parliamo.
e. Non lo so. _____ ho chiesto ieri se vuole venire, ma non mi ha ancora risposto.

10 *Stare* + gerundio o *stare per* + infinito

(__/5)

Completa le descrizioni dei due personaggi con stare + gerundio o stare per + infinito.

1. (*Comprare*) ________________ il biglietto.
2. (*Comprare*) ________________ il biglietto.

11 Il passato prossimo dei verbi modali

(__/10)

Completa le frasi con i verbi al passato prossimo.

1. Antonella non c'è. Non (*volere*) ________________ venire con noi.
2. Purtroppo Martina oggi non (*volere*) ________________ mangiare niente.
3. No, non (*io - potere*) ________________ telefonare a Luigi, ho avuto troppo lavoro.
4. Oggi c'è sciopero degli autobus e quindi (*dovere*) ________________ prendere la moto.
5. Lo so che è tardi, ma (*dovere*) ________________ andare in banca e c'era una fila lunghissima.

1

che sport ti piace?

1 Lessico

Completa le frasi con le parole della lista.

squadre | campionato | partita | avversari | tifosi | finale

1 Nel 2006 gli azzurri hanno vinto la ____________ del mondiale di calcio, diventando campioni del mondo.

1 Il ____________ di calcio italiano, la Serie A, è un torneo in cui gareggiano 20 ____________.

1 La ____________ tra Inter e Juventus si è conclusa con uno 0-0.

1 In Italia i ____________ di calcio sono moltissimi.

1 I giocatori della Roma hanno battuto gli ____________ senza difficoltà.

2 Congiuntivo

Completa la tabella del congiuntivo con le forme mancanti.

	io	*tu*	*lui, lei, Lei*	*noi*	*voi*	*loro*
giocare				giochiamo		
vedere						vedano
capire			capisca			
sentire						
avere					abbiate	
essere		sia				

3 Congiuntivo

Rispondi alle domande come nell'esempio.

Secondo te la nuova segretaria è americana? — *No, credo che sia irlandese.*

1 Ma a che ora arrivano i ragazzi? — Mah, credo che ____________ verso le sette.

2 Sai se Luca è a casa? — No, credo che ____________ ancora in ufficio.

3 Il vino lo dobbiamo portare noi? — No, penso che lo ____________ loro.

4 Sai se ci sono ancora i saldi? — No, penso che non ____________ più.

5 Questa radio funziona? — Sì, penso che ____________ ancora.

6 A che ora finisce la partita? — Mah, credo che ____________ alle 22.

7 Ma quante macchine hanno Sonia e Piero? — Credo che ne ____________ due.

4 Congiuntivo o indicativo?

Completa i dialoghi con i verbi al tempo giusto.

1 ■ Guarda che belle scarpe!
▼ Sì, sono belle, però non credo che (*essere*) ______________ molto comode.

2 ■ Perché Marco non telefona più?
▼ Mah, credo che (*avere*) ______________ molto da fare in ufficio.

3 ■ Che ne dici? Quest'anno per le vacanze facciamo uno scambio di case?
▼ Mah, non lo so, secondo me (*essere*) ______________ un po' rischioso.

4 ■ Hai già telefonato per quell'appartamento?
▼ No, ancora no, ma spero che (*essere*) ______________ ancora libero.

5 ■ Secondo te ce la fa Massimo a passare l'esame?
▼ Mah, a me non sembra che (*fare*) ______________ molto per riuscirci!

6 ■ Secondo te con chi (*venire*) ______________ Luciana alla festa?
▼ Mah, suppongo che (*venire*) ______________ con il suo nuovo ragazzo.

7 ■ Che dici, che tempo farà in Irlanda?
▼ Mah, in aprile penso che (*fare*) ______________ ancora freddo!

5

5 Congiuntivo o indicativo?

Completa le frasi con i verbi al tempo giusto.

1 Sono certa che voi (*trovarsi*) ______________ bene a Roma, ma la vita in campagna è molto più bella!

2 È importante che tuo marito (*prendere*) ______________ una decisione: non potete continuare così!

3 Spero che questa sedia non (*rompersi*) ______________ subito come quella che ho comprato l'anno scorso.

4 Hai lasciato il lavoro? Per me tu (*essere*) ______________ matta!

5 Ho letto che più tardi pioverà, ma per me non (*essere*) ______________ vero: guarda che bel cielo!

6 Io ho paura dei cani. Pensi che questo (*mordere*) ______________?

7 Mi sembra che (*stare*) ______________ per piovere. Restiamo a casa!

8 Non penso che la vita da single (*essere*) ______________ così noiosa.

9 Secondo me queste scarpe (*essere*) ______________ troppo strette!

10 Sono sicuro che tu (*avere*) ______________ ragione.

11 Mi sembra che questo problema non (*essere*) ______________ semplice da risolvere.

12 Spero che voi (*tornare*) ______________ a casa prima di mezzanotte!

6 Congiuntivo

Trasforma le affermazioni in supposizioni.

1. Gli atleti non sono in forma.
   Mi sembra che gli atleti non siano in forma.
2. Il Napoli vince il campionato.
   Penso che ____________________.
3. Il calcio è un gioco molto antico.
   Penso che ____________________.
4. Una partita di calcio dura 90 minuti.
   Penso che ____________________.
5. Molti tifosi vanno a vedere la finale.
   Immagino che ____________________.
6. Il cricket ha regole molto complesse.
   Mi sembra che ____________________.
7. I nostri avversari si allenano anche la domenica.
   Credo che ____________________.

5

7 Congiuntivo

Completa le frasi con i verbi al congiuntivo.

1. È importante che gli atleti (*allenarsi*) __________ con costanza.
2. È fondamentale che voi (*venire*) __________ a vedere la partita insieme a me!
3. Se vogliono vedere la finale allo stadio, è necessario che (*loro - comprare*) __________ i biglietti con largo anticipo.
4. Per me è fondamentale che la mia squadra non (*retrocedere*) __________ in serie B.
5. Prima della gara di domani, è fondamentale che tu (*riposarsi*) __________ e (*dormire*) __________ bene.

INFOBOX

Le più importanti squadre italiane di calcio sono: a Milano, l'Inter ed il Milan; a Torino, la Juventus e il Torino; a Roma, la Lazio e la Roma; a Genova, la Sampdoria ed il Genoa. Altre squadre importanti sono il Napoli e la Fiorentina (la squadra di Firenze). Quando le squadre della stessa città si incontrano in una squadra del campionato, si dice che giocano il "derby", che è certamente la partita più attesa dai tifosi di quella città.

8 Congiuntivo o indicativo?

Scegli la forma corretta.

1 Secondo me, questa nuotatrice ***vince / vinca*** l'oro alle Olimpiadi.
2 Credo che ***è / sia*** uno dei tennisti più forti al mondo.
3 Penso che la partita ***inizia / inizi*** alle 21.
4 Questo sport ***ha / abbia*** delle regole complicatissime.
5 Secondo te, i giocatori di basket ***sono / siano*** tutti alti?
6 Spero che la mia squadra ***vince / vinca*** lo scudetto.
7 Voglio solo che mi ***lasciano / lascino*** guardare la partita in pace!

9 *Che o di?*

Completa le frasi con che *o* di. *Attenzione, in un caso è necessario l'articolo determinativo.*

1 Credo che la loro squadra sia meno forte ________ nostra.
2 Tu sai sciare molto meglio ________ me.
3 È molto più divertente guardare la partita allo stadio ________ in televisione.
4 Stella gioca a tennis molto meglio ________ sua figlia.
5 Sono più bravo a sciare ________ a nuotare.
6 È molto meglio andare a correre con qualcuno ________ da solo.

10 Combinazioni

Crea delle frasi con gli elementi delle tre colonne, come nell'esempio.

1 Flavia è più brava a ballare		te.
2 Stefania gioca a calcio meglio	**che**	basket.
3 Il calcio è più popolare in Italia	**del**	a cantare.
4 Penso che il rugby sia più bello	**di**	negli Stati Uniti.
5 Giocare a pallavolo è più divertente		sciare.

1 Flavia è più brava a ballare che a cantare.
2 ____.
3 ____.
4 ____.
5 ____.

11 Lessico

Guarda le immagini e completa il cruciverba.

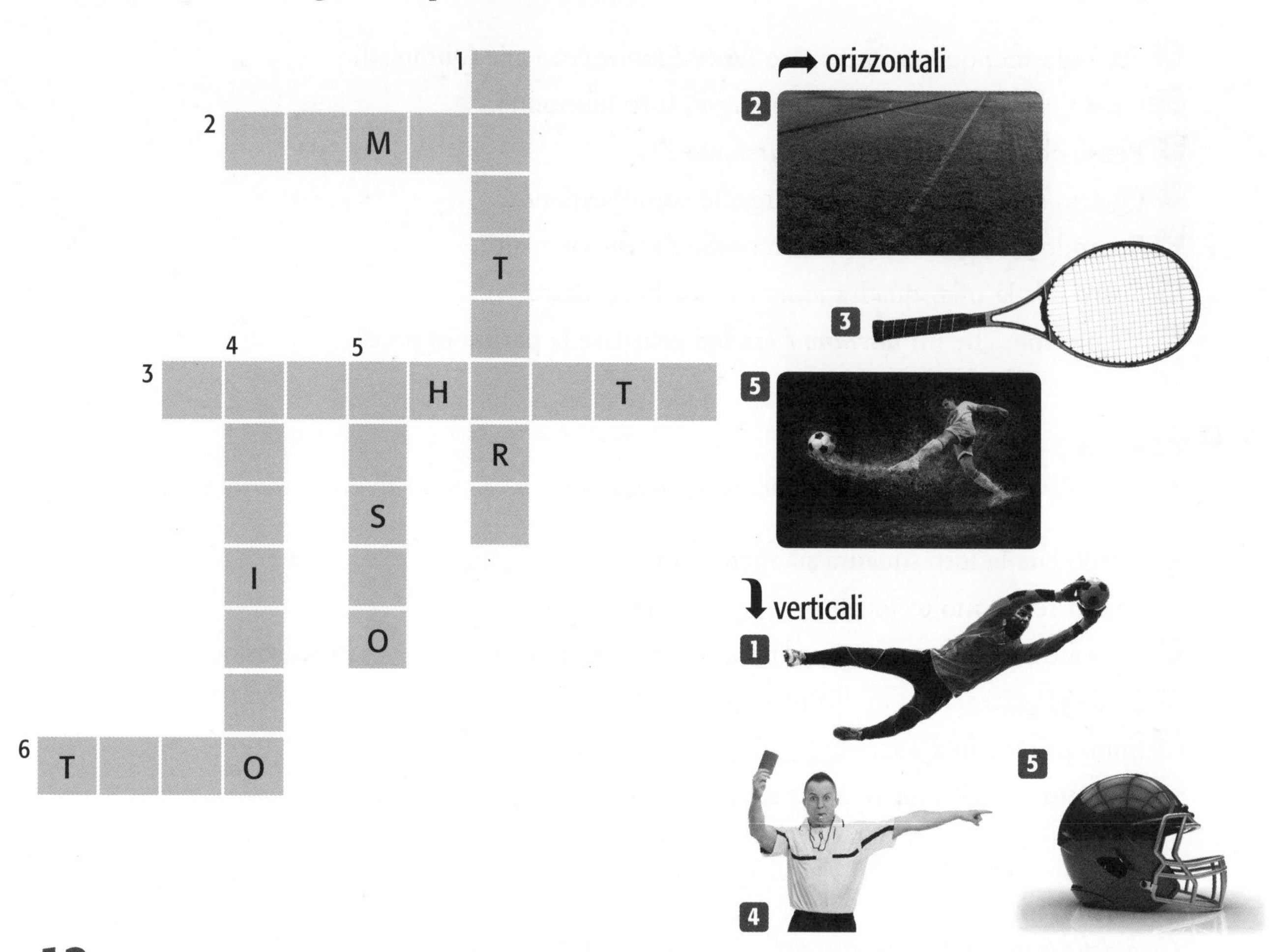

12 *Magari...*

Inserisci nei messaggi di Facebook la parola magari *al posto giusto: una volta in ogni messaggio.*

Ciao Laura. Ho deciso: voglio fare un corso di balli sudamericani! Ho sentito che il tango è molto bello, anche se difficile: lo facciamo insieme, se ti va.

....

Mmhh... io non sono portata per la danza... prima andiamo a vedere, ok?

....

INFOBOX

Quali sono gli sport più praticati dagli italiani?

Il calcio è naturalmente lo sport più popolare, tra gli adulti e tra i bambini. Al secondo posto c'è il nuoto. Al terzo posto, con una prevalenza di praticanti donne, troviamo la ginnastica (ritmica, artistica, aerobica, acrobatica). Un altro sport molto praticato d'inverno, sulle Alpi e sugli Appennini, è lo sci. Seguono il ciclismo, l'atletica, il tennis, la pallavolo e il basket.

13 L'aggettivo *bello*

Abbina ogni forma di bello al nome corrispondente, come nell'esempio.

1 un bello	a partita
2 una bella	b uomo
3 dei begli	c zaino
4 un bel	d risultato
5 delle belle → g	e appartamenti
6 dei bei	f tiri
7 un bell'	g ragazze

14 Nome in *-tore/-trice* e *-ista*

Completa con i suffissi -tore, -trice *e* –ista.

1 Lionel Messi è un calcia__________.
2 Rafael Nadal è un tenn__________.
3 Dacia Maraini è una scrit__________.
4 Artemisia Gentileschi è un'art__________.
5 Italo Calvino è uno scrit__________.
6 Michael Phels è un nuota__________.
7 Valeria Mastronardi è un'at__________.
8 Peter Fill è uno scia_____.
9 Michelangelo è un art_____.
10 Sofia Goggia è una scia_____.
11 Maria Sharapova è una tenn_____.
12 Federica Pellegrini è una nuota_____.
13 Marcello Mastroianni è un at_____.

5

15 Ricapitoliamo

Fai o hai mai fatto uno sport? Quanto tempo dedichi alle attività sportive? Come ti senti dopo aver fatto sport? C'è uno sport che non hai mai fatto e che ti piacerebbe fare? Ti piace vedere qualche sport alla televisione o dal vivo? Conosci una persona molto sportiva?

do you speak italian?

1 Riscrittura | *Prima di...*

Trasforma le frasi secondo il modello.

Mi lavo le mani e poi mi metto a tavola. → Prima di mettermi a tavola mi lavo le mani.

1. Faccio benzina e poi parto. 1 ____________
2. Mi lavo i denti e poi vado a letto. 2 ____________
3. Spegne la TV e poi va a dormire. 3 ____________
4. Abbiamo controllato bene i bagagli e poi siamo partiti. 4 ____________
5. Si è riposato un po' e poi ha cominciato a studiare. 5 ____________
6. Ci informeremo sul prezzo e poi prenoteremo il biglietto. 6 ____________

6

2 Trapassato prossimo

Completa le frasi con i verbi al trapassato prossimo.

1. L'insegnante ha ripetuto la frase perché molti non (*capire*) ____________.
2. Siamo usciti solo dopo che (*smettere*) ____________ di piovere.
3. Lorenzo si è iscritto a un corso intensivo di spagnolo: lo (*studiare*) ____________ all'università, ma ha dimenticato quasi tutto!
4. Io te l'(*dire*) ____________ tante volte, ma tu non mi hai mai dato ascolto! E adesso, vedi? Avevo ragione!
5. ▼ Povero Claudio: (*prenotare*) ____________ una settimana in Toscana con Manuela, (*prendere*) ____________ le ferie due mesi prima e (*organizzare*) ____________ tutto alla perfezione per farle una sorpresa... E Manuela lo ha lasciato una settimana prima della partenza!
   ■ Mi dispiace per lui, però lo (*noi - capire*) ____________ tutti che lei non voleva più stare con lui...

3 Trapassato prossimo

Completa con il trapassato prossimo.

Alessia, prima di partire per un viaggio di lavoro, ha lasciato al figlio Antonio una lista di cose da fare. Quando è tornata cosa ha scoperto?

Antonio non (*innaffiare*) ____________ le piante, (*dimenticarsi*) ____________ di dare da mangiare al gatto, non (*fare*) ____________ la spesa, (*trascorrere*) ____________ il tempo guardando la tv o giocando al computer, non (*andare*) ____________ a scuola e (*lasciare*) ____________ la casa in disordine.

4 Trapassato prossimo

Completa le frasi con i seguenti verbi al trapassato prossimo, *come nell'esempio.*

arrangiarsi | essere | ~~fare~~ | leggere | mangiare | prendere | uscire | vedere

1. Mary parlava bene l'italiano perché _aveva_ già _fatto_ dei corsi all'università.
2. Non era la prima volta che andavano all'estero. _______ già ___________ in Brasile l'anno prima.
3. Aveva gli occhi rossi, perché _______ ___________ tutto il giorno.
4. Prima di andare dal medico, Carla _______ già ___________ diverse medicine.
5. Oggi ho incontrato Giuseppe, ma l' _______ già ___________ lunedì scorso.
6. Non l'ho trovata in casa. _______ già ___________ alle 8.
7. Guido non ha voluto neanche un panino. _______ già ___________ a casa sua.
8. Non c'è stato bisogno di aiutarli. _______ già ___________ da soli.

5 Trapassato o passato prossimo?

Completa il dialogo con i verbi al trapassato *o al* passato prossimo.

■ Allora, Viviana, (*tu - vedere*) ____________________ il concerto di Jovanotti?

▼ Purtroppo no…!

■ Ma mi (*dire*) ____________________ che (*comprare*) ____________________ i biglietti!

▼ Sì, li (*comprare*) ____________________, ma poi i programmi (*cambiare*) ____________________!

■ In che senso cambiati? Racconta!

▼ Beh, prima di tutto (*prendere*) ____________________ un biglietto anche per Luciana, ma lei il giorno prima mi (*dire*) ____________________ che non poteva venire. Ma il vero problema è che proprio la sera del concerto (*io - dovere*) ____________________ andare a una cena di lavoro con dei clienti importanti!

■ Ma il tuo capo non ti (*avvertire*) ____________________ prima di questa cena?

▼ Sì, ma io l' (*dimenticare*) ____________________ completamente!

6

6 Lessico

Completa i testi con le parole della lista. Attenzione: devi coniugare i verbi.

abbracciarsi | abbracciarsi | imbarazzato | indecente | marito | parenti | potere | soffiarsi | starnutire

1 Una volta in Brasile ero in un ristorante, a tavola con amici. ____________ e ____________ il naso. I vicini hanno detto alla mia amica Joselia, seduta di fianco a me, se ____________ andare in bagno a soffiarmi il naso. Per i brasiliani soffiarsi il naso in pubblico è una cosa ____________.

2 Marc, un mio amico ungherese, era a cena da amici italiani. C'erano molti ____________ a questa cena, e ad un certo punto ha chiesto ad un signore: "Allora Lei è il Gennaro!". "No - ha risposto il signore - io mi chiamo Alberto. Perché Gennaro?". Il mio amico era un po' ____________ e ha chiesto: "Non si chiama così il ____________ della figlia?".

3 Quando io e Valerio, un mio amico di Treviso, ci siamo incontrati, ____________ forte: era da tempo che non ci vedevamo. Camila, un'amica cinese, ha pensato che io e Valerio avevamo una storia d'amore. "In Cina gli uomini non ____________", ci ha detto.

6

7 Riscrittura | Il verbo *dovere* per esprimere un'ipotesi

Trasforma le frasi secondo il modello.

Forse la grammatica *è* nel primo scaffale. — La grammatica **dovrebbe essere** nel primo scaffale.

1 Forse domani c'è il sole. — 1 ____________
2 Forse il prossimo anno mi laureo. — 2 ____________
3 Forse in estate partiamo per le Maldive. — 3 ____________
4 Forse al corso si iscrivono 30 persone. — 4 ____________
5 Forse arrivano verso le 8. — 5 ____________
6 Forse oggi finisco questi esercizi. — 6 ____________

8 Pronomi combinati

Completa la tabella.

	+ lo	+ la	+ li	+ le	+ ne
mi	me lo				
ti		te la			
gli/le/Le			glieli		
ci				ce le	
vi					ve ne
gli	glielo				

9 Pronomi combinati

Completa le frasi con i seguenti pronomi.

glieli | gliel' | gliene | me l' | me li | te ne | ve lo

1 Questi tappeti _______ ha portati Rebecca dal Messico.
2 Questo quadro _______ hanno regalato al mio matrimonio.
3 Vorrebbe vedere i miei gatti, ma oggi non _______ posso mostrare.
4 Vuole che gli restituisca il libro, ma io sono sicuro che _______ ho già ridato!
5 Ragazzi, venite, il caffè _______ offro io!
6 Ai miei genitori piacciono i biscotti tedeschi e così, quando sono andata in Germania, _________ ho comprati tre pacchi.
7 Dici di non saperne niente, ma io _______ ho già parlato!

10 Pronomi combinati

Completa le domande con i pronomi combinati.

1 Ma a Gianni _______ avete detto che stasera io non posso venire?
2 Scusi, quelle scarpe nere in vetrina non _______ potrebbe far vedere?
3 Paolo, il libro _______ sei dimenticato di nuovo?
4 Scusi, del dolce _______ potrebbe portare un altro pezzo?
5 Ma sentite, del mio problema non _______ avevo già parlato?
6 Professore, non abbiamo capito bene i pronomi combinati. Non _______ può spiegare di nuovo?

6

11 Combinazioni | Pronomi combinati

Abbina domande e risposte e completa queste ultime con i pronomi combinati.

1 Hai già scritto la mail a tua sorella?
2 Lo dici tu ai tuoi che andremo insieme in vacanza?
3 Mara ti ha già raccontato cosa le è successo?
4 Dove mi hai lasciato la macchina?
5 Quando ci spedirete il libro?
6 Quando vi riporta i temi di matematica il professore?
7 Hai visto ieri quel film in TV?
8 Ma quante rose le hai regalato?
9 Scusi, dove sono i libri d'arte?

a Sì, ________ ha parlato stamattina.
b Un attimo, ________ faccio vedere subito.
c ________ invieremo lunedì.
d Sì, non ________ parlare! Bruttissimo!
e ________ ha già riportati oggi!
f No, ________ spedirò domani.
g ________ ho parcheggiata davanti a casa.
h Certo, ________ parlerò io!
i ________ ho regalate dodici.

12 Pronomi combinati

Completa le frasi con i pronomi combinati.

1 ■ Mi presti questa rivista?
▼ Ah, ti piace? Se vuoi _______ regalo.

2 ■ Hai chiesto ai tuoi di lasciarti uscire la sera?
▼ Certo, _______ ho domandato mille volte, ma loro mi rispondono sempre che sono troppo giovane.

3 ■ Ti interessi di astrologia?
▼ Sì, _______ interesso da almeno 10 anni.

4 ■ Ti ha già detto della sua situazione?
▼ Sì, _______ ha parlato ieri.

5 ■ Vi avevo già detto che Luigi è arrivato?
▼ Sì, _______ hai già detto stamattina!

6 ■ Hai portato la macchina dal meccanico?
▼ Sì, e per fortuna _______ ha riparata in un paio d'ore.

7 ■ Hai visto il nuovo motorino di Piero?
▼ Sì, _______ ha fatto vedere l'altro giorno.

13 Lessico

Elimina l'espressione che non va bene. Attenzione: qualche volta tutte e due le espressioni sono giuste.

6

Serena Sai, oggi vado alla mia prima lezione di russo.

Sergio Russo? Scusa ma ***io credo che / secondo me*** imparare una lingua diversa dall'inglese non serva a niente…

Serena Perché dici così? ***Io la penso diversamente / Non sono d'accordo:*** ogni lingua può essere utile, e poi la Russia è un paese importante… Tu cosa ne pensi, Fabrizio?

Fabrizio ***È proprio vero. / Sono d'accordo con te.*** Se conosci una lingua come il russo puoi trovare opportunità di lavoro interessanti.

Sergio Interessanti? ***Non direi proprio! / Sono d'accordo con te.*** Vorresti forse andare a vivere in Russia?

Serena E perché no? Se mi offrono un lavoro interessante… E poi non devi per forza andare a vivere lì…

Sergio Mah, ***hai ragione / io penso che*** l'inglese sia comunque la lingua più importante, per ogni tipo di lavoro. Certo, sapere anche il russo può essere utile, ma prima imparerei meglio l'inglese…

Serena Certo, su questo ***io sono del parere che / sono d'accordo con te***, però il mio inglese è già molto buono, ho vissuto a New York per 8 mesi, ora vorrei imparare una lingua nuova e completamente diversa.

Fabrizio Sergio, ma sbaglio o tu non parli nessuna lingua straniera?

Sergio Io? Come no, sono nato a Cagliari e parlo il sardo!

INFOBOX

La lingua italiana nel mondo

Se c'è un settore del Made in Italy che non sembra conoscere crisi è quello della lingua italiana. L'italiano secondo alcune statistiche è il quarto idioma più studiato al mondo. I dati dicono infatti che sono circa 200 milioni le persone in grado di parlarlo: a interessarsi alla lingua di Dante sono 687mila studenti, dislocati in 134 scuole italiane all'estero, 81 istituti di cultura, 176 università e numerosi enti pubblici e privati. È la Germania il paese con il più alto tasso di studenti di italiano, seguita da Australia, Usa, Egitto e Argentina. Ma i numeri segnalano soprattutto una crescita nell'Est europeo, in Russia, in Cina e nei paesi arabi. Quali sono i fattori che incidono su questa diffusione e popolarità della nostra lingua all'estero? Alla tradizionale passione per Dante e per gli autori classici si accompagna l'interesse per gli scrittori contemporanei. L'italiano inoltre è riconosciuto come la lingua dell'opera lirica, della moda, del design, ma anche della cucina, che vede sempre più appassionati in tutto il mondo.

14 Contrari

Osserva la tabella e completa la regola.
Il prefisso in- *diventa* im- *davanti a* _____, _____ *e* _____; *diventa* ir- *davanti a* _____ *e diventa* il- *davanti a* _____.

Poi inserisci nella tabella i contrari di questi aggettivi.

adatto capace legale legittimo paziente preciso probabile ragionevole responsabile

in-	im-	ir-	il-
incredibile *indeciso* *indipendente* *infinito* *inusuale* *inutile*	*imbattibile* *imbevibile* *immangiabile* *impossibile* *imprevisto*	*irregolare*	*illogico*

15 Contrari

Completa il cruciverba.

→ orizzontali
1 Con poca esperienza.
6 Senza limiti.
7 Artificiale.

↓ verticali
1 Non permesso dalla legge.
2 Triste.
3 Non giusto.
4 Non ancora maturo.
5 Senza movimento.

6

vivere in città

1 Lessico

Nel dialogo del punto 4 a p. 96 appaiono le seguenti frasi. Collega ogni parola in corsivo con l'espressione equivalente nella colonna di destra.

1. Mi *darebbe una mano*? → f
2. Era così *comodo*!
3. Così *mi tocca* andare a piedi.
4. *Bisogna* far la gimcana.
5. *Anziché* costruire una banca…
6. In effetti gli asili *mancano*!

a. si deve
b. invece di
c. non ci sono
d. pratico
e. devo
f. aiuterebbe

2 Mi tocca!

Sostituisci il verbo dovere *con il verbo* toccare, *o viceversa, come nell'esempio.*

Devo andare a piedi. — Mi tocca andare a piedi.

1. Oggi Sandro deve studiare tutto il giorno. — 1 ____________
2. È vero che ti è toccato stare a casa tutta la sera? — 2 ____________
3. Domani dobbiamo partire anche se non ne abbiamo voglia. — 3 ____________
4. Ieri a mia sorella è toccato tornare in ufficio dopo cena. — 4 ____________
5. Spero che tu non debba ripetere l'anno! — 5 ____________

3 Condizionale passato

Completa le frasi con i verbi al condizionale passato *secondo l'esempio.*

guidare | ~~mangiare~~ | mettere | piacere | potere | preferire

1. La cena era deliziosa. Al suo posto (io) avrei mangiato di più.
2. Italo ha avuto un incidente. Al suo posto (io) ____________ più lentamente.
3. La minestra era troppo insipida. Io ci ____________ più sale.
4. Davide ed Elisa sono andati in Groenlandia. Noi ____________ un Paese del sud.
5. Giuliana è andata a teatro. A Luciana ____________ di più andare al cinema.
6. Dovevo studiare di più. Peccato! ____________ diplomarmi con 100/100.

4 Condizionale passato

Ricostruisci le frasi e completale con i verbi al condizionale passato, *come nell'esempio.*

~~andare~~	piacere	volere	dovere	accompagnare	prendere in affitto

1. Io sarei andato volentieri a teatro, → b
2. Carlo _______________ pagare la bolletta del telefono,
3. A mia madre _______________ andare in vacanza,
4. Noi _______________ quella casa al mare,
5. Ugo e Ada _______________ una matrimoniale
6. Signora, io L' _______________ volentieri,

a. ma purtroppo la mia macchina si è rotta!
b. ma purtroppo non c'erano più biglietti.
c. e invece hanno trovato solo due singole.
d. purtroppo però se ne è dimenticato.
e. purtroppo mio padre aveva troppo da fare.
f. ma era troppo cara.

5 Condizionale presente o passato?

Coniuga i verbi tra parentesi al condizionale presente o al condizionale passato.

1. Domani io e Paola (*volere*) _______________ andare al mare. Vieni anche tu con noi?
2. Che caldo! (*Mangiare*) _______________ volentieri un gelato.
3. Scusate il ritardo, ma (*io - arrivare*) _______________ prima, senza lo sciopero.
4. Sei stata poco gentile con Rita, io non le (*dire*) _______________ quelle cose.
5. Alla festa di Claudia (*noi - ballare*) _______________ volentieri, ma nessuno ha pensato alla musica.
6. Per i miei 40 anni ho un sogno: mi (*piacere*) _______________ fare un viaggio in Sudamerica.
7. Peccato che Mauro non sia venuto al cinema, (*lui - divertirsi*) _______________ moltissimo.
8. Mi (*tu - passare*) _______________ il sale, per favore?

INFOBOX

Città e campagna

In Italia su 100 persone, 67 vivono in città e 33 in campagna. Ma dopo un secolo di grandi migrazioni dalle campagne alle città, negli ultimi anni qualcosa sta cambiando. Molte persone infatti stanno lasciando le città, perché il vantaggio di avere molte cose (e anche possibilità di lavoro) a disposizione è stato pareggiato dal caos del traffico e dall'inquinamento oltre che dal degrado. Un altro problema delle città è quello dei prezzi molto alti delle case.
Tuttavia chi lascia la città non torna a vivere in campagna, ma va nei centri dell'*Hinterland* (parola tedesca che descrive la zona intorno ad una metropoli) più tranquilli e quindi più vivibili.

6 *Ci* o *ne*?

Completa con ci *o* ne.

1. Facciamo una pausa, che ____ dite?
2. Laura ti ha lasciato? Non ____ pensare più, non era adatta a te.
3. Non mi chiedete dov'è Aldo. Non ____ so niente.
4. Se vuoi sapere che ____ pensa Paolo, perché non ____ parli?
5. Non sono bravo con le carte, ma ____ gioco volentieri.
6. Oggi è il compleanno di zia Daniela, non te ____ dimenticare come al solito!
7. Andate voi al concerto, io non ____ ho voglia.
8. Ho comprato delle scarpe bellissime ma non ____ cammino bene. Devo cambiarle.

7 *Ci*

Inserisci ci *dove necessario. Attenzione: i* ci *da inserire sono 7!*

■ Domani sera siamo a cena dai miei, ti ricordi?
▼ Di nuovo, ma siamo stati domenica scorsa!
■ Sì, ma è il compleanno di mio padre, lo sai che tiene!
▼ Lo so, però siamo senza macchina. L'ho portata dal meccanico e per domani sicuramente non sarà pronta. Come andiamo?
■ Mio Dio, Giulio, non essere pigro! Con la metro vogliono venti minuti, mettiamo meno che con la macchina. E poi saranno anche le mie sorelle con i bambini. Anna mi ha detto che hanno organizzato un piccolo spettacolo per il nonno. Vedrai, divertiremo.

7

8 Verbi pronominali

Completa i dialoghi con i verbi al tempo giusto.

1. ■ Dov'è Paola?
   ▼ Non lo so, (*andarsene*) ___________ senza dire niente.
2. ■ Sei ancora qui? Se non ti muovi perdi il treno.
   ▼ Lo so, ma tu (*piantarla*) ___________ di dirmi cosa devo fare!
3. ■ Cosa ti ha detto Vincenzo? L'hai convinto ad andare in montagna anche quest'anno?
   ▼ Sì, lui non voleva, ma alla fine (*spuntarla*) ___________ io!
4. ■ Hai una faccia stanchissima.
   ▼ Sì, non ho dormito. Ho lavorato tutta la notte per finire un progetto importante. È stata dura, ma alla fine (*farcela*) ___________.
5. ■ Cosa aspetti a cambiare casa?
   ▼ Per ora resto qui. (*Volerci*) ___________ troppi soldi per comprare quella che vorrei.
6. ■ Mamma, Marco mi ha dato un calcio!
   ▼ Bambini, (*finirla*) ___________ di litigare!

9 *Ci, ne* e gli altri pronomi

Completa con il pronome corretto.

Gino sta pensando di trasferirsi in campagna per cambiare vita e ____ parla in un forum online: "Che ____ pensate? E cosa preferite? Città o campagna?" – domanda.
Francesca risponde che anche lei ____ sta pensando seriamente e racconta la sua storia.
Francesca è nata e cresciuta a Venezia, una città senza macchine e senza smog. Ma non ____ teneva a rimanere lì per sempre. Sua madre non voleva lasciar____ andare via a 18 anni, ma lei era troppo curiosa e alla fine ____ ha spuntata, anche con l'aiuto di sua zia Carla.
Carla lavorava a Milano e ____ ha ospitata negli anni dell'università. Durante la settimana Francesca studiava e nei weekend aiutava la zia a preparare le grandi sfilate che organizzava.
Guadagnava anche qualcosa, e ____ pagava gli studi.
Francesca amava respirare l'aria della moda, delle passerelle, dei personaggi famosi e degli stilisti.
Ma poi si è sposata ed è nato Roberto. E piano piano, mentre passavano gli anni, nella sua testa qualcosa è cambiato.
Un giorno Francesca è andata a trovare degli amici in Svizzera. Anche loro vivevano a Milano, ma quando la loro figlia ha compiuto 13 anni si sono trasferiti in campagna, sul lago, a 15 minuti da Losanna.
L'amica di Francesca ____ ha detto che per abituarsi al cambiamento ____ ha messo un anno e mezzo, ma che ora non tornerebbe più indietro. Allora Francesca ha pensato che anche loro potevano cambiare vita e ____ ha parlato con il marito. Ma lui ____ ha detto: "Francesca, è meglio che ____ pianti con i sogni!".

10 Lessico

Completa il dialogo con le espressioni della lista.

guardi | io lo dico per Lei | mi lascia in pace | non si fa gli affari Suoi | scusi | se mi sono spiegato

■ ______________, signora, sono Sue queste valigie?
▼ Sì, sono mie, perché?
■ ______________ che non le può lasciare qui, è vietato!
▼ Scusi, ma Lei forse ha prenotato uno di questi posti?
■ No, ma Lei sta occupando tre posti con un solo biglietto.
▼ Guardi, non vorrei sembrarLe scortese, ma perché ______________?
■ Guardi che ______________. Quei posti sono riservati e se lascia le valigie lì... insomma, non so ______________.
▼ No, non si è spiegato. Senta, io oggi non sono proprio in vena di discutere. Mi è successo di tutto, quindi è meglio se ______________! Va bene?

11 Aggettivi e pronomi possessivi

a. *Sottolinea i possessivi e indica se in queste frasi si tratta di aggettivi o di pronomi.*

	agg.	pron.
1 Dov'è il mio ombrello?	☐	☐
2 I miei mi hanno detto che stasera non posso uscire.	☐	☐
3 Conosci l'espressione «Natale con i tuoi, Pasqua con chi vuoi»?	☐	☐
4 Mio padre mi parlava spesso della sua giovinezza.	☐	☐
5 Chi può prestarmi una penna? Non ho portato la mia.	☐	☐
6 Qui c'è solo il tuo cappotto. Il mio dov'è?	☐	☐

b. Ora rispondi. Vero o falso?

	vero	falso
1 Gli aggettivi possessivi (che accompagnano un nome) hanno le stesse forme dei pronomi possessivi (che sostituiscono un nome).	☐	☐
2 Gli aggettivi possessivi sono sempre preceduti dall'articolo.	☐	☐
3 Alla domanda «Di chi è / Di chi sono?» si risponde «È mio / nostro ecc.» (senza articolo).	☐	☐
4 In tutti gli altri casi i pronomi possessivi sono sempre preceduti dall'articolo (o dalla preposizione articolata).	☐	☐

7

12 Aggettivi e pronomi possessivi

Inserisci l'articolo dove è necessario.

1 ■ Signora, scusi, è ___ Sua macchina questa?
▼ No, ___ mia è quella grigia piccola.

2 ■ Eva, non dirmi che questo computer è ___ tuo!
▼ Sì, l'ho comprato due giorni fa. E con ___ miei soldi. È proprio tutto ___ mio!

3 ■ Guardi, signora, credo che siano ___ Suoi questi occhiali.
▼ Oh, grazie, ___ miei occhiali! Stavo per dimenticarli.

4 ■ Senti, sono ___ tue queste forbici?
▼ Sì, sono ___ mie. Perché, ti servono?

5 ■ Sono ___ vostri bicchieri questi?
▼ No, ___ mio l'ho già portato in cucina e Paolo sta ancora bevendo.

6 ■ Non dirmi che questa foto è ___ tua!?
▼ Sì, sì, sono io da piccola. Anzi, è ___ mia foto preferita...

13 Aggettivi e pronomi possessivi

Completa con un possessivo ed eventualmente l'articolo (o la preposizione articolata), come nell'esempio.

■ Perché non si fa gli affari Suoi? ▼ (mio) Ai miei ci penserò io.
■ Di chi è questo cappotto? ▼ (mio) È mio.

1 ■ Prendiamo (tuo) _________ macchina?
▼ No, con (mio) _________ ci metteremmo troppo.

2 ■ Di chi sono questi occhiali?
▼ (Mio) _________.
■ (Tuo) _________? E (mio) _________ allora dove sono?

3 ■ Allora, che ne dici (nostro) ___________ appartamento?
▼ Splendido! È molto più grande (mio) ___________!

4 ■ Di chi è questa chiave?
▼ Credo che sia di Paolo.
■ No, no ragazzi, non è (suo) ________, è (mio) ________!

5 ■ Scusi, ha già finito (mio) _________ pantaloni?
▼ No, signora, mi dispiace, ho avuto il tempo di finire solo quelli di (Suo) ________ marito.

6 ■ È (tuo) _________ questa sciarpa?
▼ No, (mio) _________ è a righe.

7 ■ Signora, ho perso la chiave del portone...
▼ Non c'è problema. Le presto (mio) _________.

8 ■ Sai che cambieremo casa?
▼ Davvero? Ma allora potremmo trasferirci noi (vostro)_________ appartamento!

14 Lessico

Collega le parole di sinistra con quelle di destra e ricostruisci le espressioni del testo del punto 13 a p. 101, come nell'esempio.

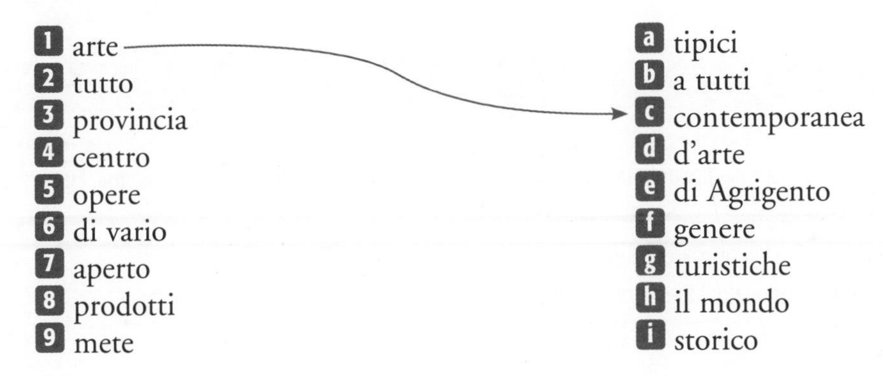

1 arte	**a** tipici
2 tutto	**b** a tutti
3 provincia	**c** contemporanea
4 centro	**d** d'arte
5 opere	**e** di Agrigento
6 di vario	**f** genere
7 aperto	**g** turistiche
8 prodotti	**h** il mondo
9 mete	**i** storico

7

15 Lessico

Completa le frasi con le espressioni dell'esercizio 14.

1. La domenica il museo è _______________.
2. A volte l'_______________ è difficile da capire.
3. Firenze e Venezia sono due _______________ molto frequentate dagli stranieri.
4. Il _______________ è vietato alle macchine.
5. Al museo degli Uffizi di Firenze ci sono molte _______________ del Rinascimento.
6. Pablo Picasso è un artista conosciuto in _______________.
7. Maria è nata in _______________.
8. In quel negozio puoi gustare i migliori _______________ della zona.
9. Al mercato vicino casa mia trovi prodotti _______________: frutta, verdura, pane, carne, scarpe, vestiti, cartoleria, ecc.

16 Preposizioni

Scegli la preposizione corretta.

Sono nata a Milano ***in/nel/dal*** 1973 e qui ho vissuto fino ***a/da/nei*** 22 anni, quando ho conosciuto e sposato un uomo di Caselle Landi, un paese ***a/da/di*** circa 1.700 abitanti della Lombardia. Vivo lì ***da/in/per*** tanti anni, ma ora ho un solo desiderio: quello ***a/di/per*** tornare a Milano. Abito ***a/in/nella*** una bella villa con 2000 metri ***del/di/nel*** giardino, ma non so cosa darei ***a/di/per*** vivere in un appartamento a Milano. La vita ***di/nella/sulla*** campagna è la cosa più noiosa che ti possa capitare. Non c'è niente oltre la natura, che ***per/su/tra*** l'altro qui non è poi così bella. Non puoi andare ***a/al/nel*** cinema, ***a/al/in*** teatro, a una mostra, a un concerto o anche solo a comprarti un bel vestito… Infatti la città più vicina è ***a/di/su*** 20 km.
E ***a/d'/nel*** inverno quando c'è la nebbia guidare non è il massimo. I milanesi si lamentano ***dal/del/per*** traffico, ma quando io vivevo là, giravo tutta la città ***con/in/su*** metro. Invece ***da/per/tra*** quando sono qui sto in macchina tutto il giorno, anche solo ***a/di/per*** andare a fare la spesa o accompagnare i miei figli a praticare uno sport o a suonare la chitarra. Già, finché i figli sono piccoli, va anche bene. Qui, almeno, smog non ce n'è. Ma appena diventano grandi, cominciano i problemi. Perché loro non ne vogliono sapere ***a/di/per*** stare in un posto così isolato.

INFOBOX

Città e regioni

In Italia ci sono 10 città con più di 300mila abitanti: Roma, Milano, Napoli, Torino, Palermo, Genova, Bologna, Firenze, Bari, Catania.
La regione italiana con più abitanti è la Lombardia, seguita da Campania e Lazio.
La regione più grande è la Sicilia, seguita dal Piemonte e dalla Sardegna.

17 Geografia italiana

Completa il cruciverba.

orizzontali

1. La città più importante della Liguria.
7. La regione di Roma.
8. La regione di Firenze.
9. Una regione che è anche un'isola.
10. La regione di Milano.

verticali

2. La città sull'acqua.
3. La città più importante del Piemonte.
4. La città della pizza.
5. La più piccola regione italiana.
6. Una regione dell'Italia centrale senza il mare.

18 Ricapitoliamo

Quali città/regioni italiane conosci? Cosa sapresti raccontare di ognuna di esse?
Abiti in città? Quali sono i vantaggi e quali gli svantaggi? Preferiresti vivere in campagna?
Se sì/se no, perché? Dove abiti ci sono molti divieti? Quali? Li trovi giusti o li aboliresti?
Ne introdurresti degli altri?

INFOBOX

Divieti assurdi

Quali sono i divieti più strani e assurdi che potete trovare in Italia? Ecco una piccola lista.
A Eboli, in Campania, è vietato baciarsi in pubblico (anche in macchina!).
A Venezia è vietato fare castelli di sabbia e buche sulla spiaggia.
A Forte dei Marmi, in Toscana, è vietato aprire locali non italiani: quindi niente ristoranti cinesi, indiani, kebab, fast food americani e negozi di oggettistica etnica.
A Capri, è vietato portare scarpe rumorose.
E infine, il più assurdo di tutti: a Facciano, piccolo paese vicino a Napoli, per mancanza di cimiteri è vietato... morire!

test 2

TOTALE __ /100

1 Lettura | Risposta multipla

__ /10

Leggi il testo e poi indica l'opzione giusta.

ITALIANO E INGLESE: DUE LINGUE AMICHE, MA NON TROPPO...

Miriam Hurley è una donna americana, originaria dell'Oregon, che di lavoro fa la traduttrice: traduce soprattutto dall'italiano all'inglese e dall'inglese all'italiano. Nel suo blog (miriamhurley.com) ha fatto un elenco molto generico con alcune abitudini diverse tra la scrittura italiana e quella inglese, per non dimenticare le differenze. Chi usa questo elenco deve comunque ricordare sempre che in traduzione quello che realmente conta è il contesto.

Parole simili... ma non troppo!
L'italiano, si sa, deriva dal latino. L'inglese ha invece due radici, latine e germaniche. Il latino era la lingua delle persone che avevano una cultura alta, cosa ancora oggi riflessa dal fatto che le parole inglesi derivate dal latino sono quelle usate in contesti ricercati e formali e le germaniche, che spesso significano più o meno la stessa cosa, ne sono la versione bassa e comune (per esempio: *veracity/truth; lateral/side*).
Questa differenza è una trappola per chi traduce dall'italiano all'inglese, perché moltissime parole italiane hanno un corrispondente inglese significato identici o simili, ma un diverso registro (cioè il grado di formalismo del linguaggio). *Protagonista* in inglese è *protagonist.* Ma se due italiani che chiacchierano in treno possono benissimo parlare del "protagonista" di un film, in una conversazione informale tra anglofoni "the film's protagonist" non ha decisamente lo stesso effetto.

I mille nomi di... Milano
Per ragioni che nessuno conosce, l'italiano non ama ripetere lo stesso nome in un testo. L'inglese è disposto a scrivere, per esempio, "Milan" ogni volta che vuole riferirsi a Milano. L'italiano, invece, chiama di volta in volta Milano "il capoluogo della Lombardia", "la capitale italiana della moda", "la capitale degli affari", come per testare la nostra cultura generale.

Parole superflue... Sì o no?
La buona scrittura inglese di solito è chiara, sintetica, essenziale. Come nell'architettura moderna, meno c'è, meglio è (come si dice? *Less is more...*). Mai usare due parole quando ne basta una. L'inglese non ama il superfluo.
La scrittura italiana è un po' come il cattolicesimo. Perché accontentarsi di un santo quando se ne possono avere cinquemila? Direi che questa differenza rappresenta la sfida più grande per la traduzione verso l'inglese, perché l'italiano in una sola frase è capace di usare molte parole e informazioni, mentre nella maggior parte dei casi l'inglese che rispecchia troppo da vicino lo stile italiano sembra troppo presuntuoso e pesante.

1 In inglese e in italiano parole molto simili
- **a** significano cose diverse.
- **b** si usano in contesti diversi.

2 In italiano, si può dire in diversi modi.
- **a** solo il nome di Milano.
- **b** ogni nome.

3 L'inglese
- **a** è una lingua più lineare.
- **b** è una lingua più formale.

4 L'italiano scritto
- **a** è facile da tradurre in inglese.
- **b** è difficile da tradurre in inglese.

2

2 Lettura | Vero o falso

___/10

Rileggi il testo di p. 52 e indica se le affermazioni sono vere o false.

	vero	falso
1 L'italiano e l'inglese hanno radici germaniche.	☐	☐
2 In inglese, le parole germaniche sono quelle più usate.	☐	☐
3 La lingua italiana ama le ripetizioni.	☐	☐
4 La lingua italiana scritta ha origini dal cattolicesimo.	☐	☐
5 Gli italiani amano usare molte parole.	☐	☐

3 Ascolto

40 ___/10

Ascolta il dialogo e indica se le affermazioni sono vere o false.

	vero	falso
1 Maurizio e Carla si conoscono dai tempi del liceo.	☐	☐
2 Carla e Maurizio non si vedevano da molto tempo.	☐	☐
3 Maurizio dice che Carla ha dei bei capelli.	☐	☐
4 Maurizio è in vacanza a Londra.	☐	☐
5 Maurizio lavora nell'informatica.	☐	☐
6 La moglie di Maurizio si chiama Emma.	☐	☐
7 Carla è rimasta in Toscana anche dopo gli studi.	☐	☐
8 Carla vive in una villa con il marito e molti cani.	☐	☐
9 Maurizio e Carla parlano di un'amica comune.	☐	☐
10 Emanuela Grandi faceva l'artista già dai tempi del liceo.	☐	☐

4 Congiuntivo presente

___/10

Completa le frasi coniugando i verbi tra parentesi al congiuntivo presente.

1 Credo che la sua casa *(essere)* __________ in questa zona.
2 Penso che Domitilla *(dormire)* __________ ancora.
3 È essenziale che il giardiniere *(curare)* __________ il giardino almeno una volta a settimana.
4 Penso che lui *(andare)* __________ al cinema stasera.
5 Voglio che Laura e Luca *(venire)* __________ con noi.
6 Spero che voi non *(fare)* __________ tardi.
7 È importante che tu *(studiare)* __________ bene queste pagine per l'esame.
8 Credo che Valerio e Lorenzo *(volere)* __________ andare negli Stati Uniti a luglio.
9 Suppongo che tu non *(uscire)* __________ stasera.
10 Spero che loro *(arrivare)* __________ presto.

2

5 Trapassato prossimo

Completa con i verbi al trapassato prossimo.

__ /10

Il dottor Fantozzi, prima di partire per un congresso all'estero, ha lasciato alla sua segretaria una lista di cose da fare. Quando è tornato cosa ha scoperto?

La signorina Rossi non (*ritirare*) ________________ la posta, (*dimenticarsi*) ________________ di contattare il dottor Fronza, non (*leggere*) ________________ le mail, (*passare*) ________________ il tempo facendo solo parole incrociate, non (*andare*) ________________ in banca.

6 Trapassato prossimo e passato prossimo

Completa il dialogo con i verbi al trapassato prossimo o al passato prossimo.

__ /10

■ Senti, Stefan, toglimi una curiosità, ma tu quanto tempo ci hai messo a imparare l'italiano?

▼ Due anni, più o meno.

■ Ma l'(*imparare*) ______________ qui in Italia o prima (*fare*) ______________ dei corsi?

▼ Beh, sì, quando (*arrivare*) ______________ in Italia (*fare*) ________ già ________ un corso a Monaco. Poi, qui a Roma, (*studiare*) ______________ un altro anno, in modo intensivo.

2

7 *Prima di*

Trasforma le frasi secondo il modello.

__ /10

Mi lavo le mani e poi mi metto a tavola. → Prima di mettermi a tavola mi lavo le mani.

1. Faccio una telefonata e poi vengo. ______________________
2. Mi faccio una doccia e poi vado a ballare. ______________________
3. Ceniamo e poi andiamo al cinema. ______________________
4. Ci siamo allenate molto e poi abbiamo fatto la gara. ______________________
5. Hai preso il caffè e poi ti sei messo a lavorare. ______________________

8 Pronomi combinati

(__/10)

Completa le frasi con i pronomi combinati.

1. Senta, io e mio marito vorremmo vedere quelle sedie in vetrina. _______ potrebbe mostrare, per favore?
2. Ciao Marco, i biglietti per te e Marta li ho comprati io. Se venite al cinema dieci minuti prima, _______ do.
3. Allora, questa è la mia nuova casa. Entra, così _______ mostro.
4. Claudia vuole i soldi della spesa, ma io sono sicura che noi _______ avevamo già dati!
5. Quel libro di Calvino che ti ho prestato _______ devi ridare. Ci sono affezionato.

9 Condizionale passato

(__/10)

Completa le frasi con i verbi al condizionale passato.

1. Quel ristorante era troppo caro! Io (*andare*) _____________ in pizzeria.
2. I miei sono andati in vacanza sulle Dolomiti, ma mia madre (*preferire*) _____________ il mare.
3. Io (*mangiare*) _____________ tutto, ma purtroppo ero a dieta.
4. (*Volere*) _____________ chiamarti, ma purtroppo il mio telefono era scarico.
5. Giorgia ieri è venuta in ufficio con la febbre: al posto suo io (*rimanere*) _____________ a casa.

10 I verbi pronominali

(__/10)

Completa le frasi selezionando la forma corretta.

1. Margherita **ci tiene / ci vuole** molto ad avere buoni voti a scuola.
2. **La pianti / La spunti** di fare tutto questo rumore? Non vedi che sto cercando di studiare?
3. Quanto **ne vuole / ci vuole** ad arrivare a Trieste?
4. Che è successo? Perché Valeria **se n'è andata / ce n'è andata** all'improvviso?
5. **Lo finisci / La finisci** di guardare la TV? È tutto il giorno che stai lì sul divano, usciamo!

2

made in Italy

1 Lessico

Completa il cruciverba.

→ orizzontali

4

6

7

8

9

↓ verticali

1

2

3

5

INFOBOX

Made in Italy

Il Made in Italy è un marchio commerciale che indica che un prodotto è completamente progettato, fabbricato e confezionato in Italia. Secondo uno studio di mercato realizzato dall'azienda KPMG, Made in Italy è il terzo marchio al mondo per notorietà dopo Coca Cola e Visa.

I settori tradizionali del Made in Italy sono soprattutto quattro: moda, cibo, arredamento / design e automobili, noti in italiano anche come "Le quattro A" da Abbigliamento, Agroalimentare, Arredamento e Automobili.

2 Lessico

Con quali sostantivi della rispettiva lista può essere abbinato ogni aggettivo? Trovali.

1 leggero/a
- a cibo
- b cappotto
- c borsa
- d scuola

2 impermeabile
- a guanti
- b accappatoio
- c giacca
- d scarpe

3 ovale
- a velluto
- b piatto
- c tovaglia
- d martello

4 indispensabile
- a provenienza
- b amico
- c pelle
- d prodotto

5 ingombrante
- a stilografica
- b posata
- c supposizione
- d frigorifero

6 inutile
- a accento
- b fatica
- c oggetto
- d discussione

7 sottile
- a foglio di carta
- b vetro
- c giardino
- d maglione

8 resistente
- a colore
- b bicicletta
- c spazio
- d isola

1 un cibo leggero, ______________________________

2 dei guanti impermeabili, ______________________________

3 ______________________________

4 ______________________________

5 ______________________________

6 ______________________________

7 ______________________________

8 ______________________________

8

3 Congiuntivo passato

Completa le frasi con il congiuntivo passato.

1 ■ Ha comprato la macchina due anni fa?
▼ Sì, non so esattamente se sono due anni, ma comunque credo che l'_____ _____________ non molto tempo fa.

2 ■ Quella Ferrari gli è costata un patrimonio?
▼ Eh sì, temo proprio che gli _____ _____________ tantissimo.

3 ■ Si sono già trasferiti o devono ancora fare il trasloco?
▼ Penso che _____ _____ già _____________!

4 ■ Chi le ha dato i soldi? I suoi?
▼ Sì, credo che glieli _____ _____________ loro.

5 ■ È già uscito dall'ufficio?
▼ Sì, credo che _____ _____________ verso le 5.

6 ■ Ha già comprato la casa?
▼ Mah, può darsi che l' _____ _____________, ma non ne sono sicuro.

4 Congiuntivo presente o passato?

Elimina il tempo sbagliato.

1 Penso che oggi per l'acquisto dei beni alimentari molta gente ***sia / sia stata*** disposta a spendere molto. L'importante è, infatti, che le persone ***consumino / abbiano consumato*** prodotti di qualità.

2 Non credo che ad Alberto ***piaccia / sia piaciuto*** il nuovo lavoro. Penso che lo ***scelga / abbia scelto*** solo per ragioni economiche.

3 Ho paura che mio figlio ***abbia / abbia avuto*** un incidente. Infatti è già due ore che l'aspetto! Oppure può darsi semplicemente che – come al solito – ***rimanga / sia rimasto*** senza benzina.

4 È proprio indispensabile che tutti ***abbiano / abbiano avuto*** uno smartphone? Mi pare che questa del telefonino in Italia, negli ultimi anni, ***diventi / sia diventata*** una vera mania.

5 Penso che ***sia / sia stato*** giusto spendere per abbigliamento e cosmetici. In fondo ognuno di noi deve curare il proprio aspetto fisico. Anche se trovo esagerato che ieri mia figlia s***penda / abbia speso*** un patrimonio per dei jeans.

6 Credo che Anna, per le sue vacanze, la scorsa estate ***paghi / abbia pagato*** moltissimo.

7 Ma sei sicuro che ieri tuo figlio ***vada / sia andato*** a scuola?

8

5 Congiuntivo presente o passato?

Abbina le risposte alle domande e coniuga al congiuntivo presente *o* passato *i verbi tra parentesi.*

a Hai letto l'ultimo libro di Baricco?

b Allora, come è andato il viaggio in Brasile?

c Come è andato tuo figlio a scuola quest'anno?

d Andiamo al mare domani?

e Ma perché Daniela non mi risponde?

1 Fantastico! Credo che (*essere*) ____________ la vacanza più bella della mia vita.

2 Può darsi che (*lasciare*) ____________ il telefono a casa.

3 Mmh… ho visto le previsioni del tempo e ho paura che domani (*piovere*) ____________. Meglio rimandare.

4 No. Non l'ho comprato perché penso che Francesco me lo (*volere*) ____________ regalare a Natale.

5 Mah… sicuramente non era tra i più bravi, ma l'importante era che alla fine (*essere*) ____________ promosso.

6 Indicativo o congiuntivo?

*Completa con i verbi all'*indicativo presente *o al* congiuntivo presente.

Ecco perché, nonostante tutto, siamo felici di essere italiani.
Perché alle feste (*ballare*) ____________ anche senza essere ubriachi.
Perché siamo geniali. A condizione che (*essere*) ____________ una cosa geniale trasformare una crisi in una festa.
Perché negli alberghi capiscono subito chi sei, e se lo (*ricordare*) ____________.
Perché l'antica Roma era potente e la nuova Roma può essere divertente. Purché non la (*voi - prendere*) ____________ troppo sul serio.
Perché in ogni laboratorio del mondo (*esserci*) ____________ un computer, una pianta verde e un italiano.

7 Indicativo o congiuntivo?

*Completa con i verbi all'*indicativo presente *o al* congiuntivo presente.

Oggi al telegiornale ho visto una notizia che parlava della felicità del popolo italiano. Ogni giorno leggiamo di crisi, aziende che (*chiudere*) ____________, persone in difficoltà, progetti che (*fermarsi*) ____________, disoccupazione che aumenta. E cosa ci (*dire*) ____________ le statistiche? Che gli italiani (*essere*) ____________ felici.
Forse per uno straniero le ragioni di questo risultato inatteso (*essere*) ____________ difficili da capire, ma per un italiano DOC no. Perché noi (*essere*) ____________ fatti così: per farci felici ci basta poco. A patto che (*noi - riuscire*) ____________ a passare le feste con tutta la famiglia, a condizione che la salute non ci (*abbandonare*) ____________, purché la nostra squadra del cuore non (*perdere*) ____________ il derby, noi (*godersi*) ____________ la vita.
Nonostante la crisi, i pochi soldi e un futuro incerto. A questo punto credo proprio che la felicità (*stare*) ____________ dentro al nostro DNA.

8 Suffisso *-accio*

Completa le frasi con le parole della lista + il suffisso -accio.

fatto | gatto | giornata | partita | ragazzo | tempo

1. Vuoi fare una passeggiata? Ma piove, dove andiamo con questo ____________?
2. Paolo, non uscire spesso con Sandro: non mi piace, mi sembra un ____________.
3. Il gatto di Francesca è grasso e cattivo, un ____________!
4. Ho saputo che dietro casa tua è successa una cosa brutta, proprio un ____________.
5. ■ Ciao Fabio, buona giornata!
   ▼ Grazie, ma oggi devo andare prima dal meccanico, poi dal dentista e la sera a cena dalla suocera: sarà sicuramente una ____________!
6. ■ La Juventus ha vinto 4-0, che partitona!
   ▼ Certo, per te, che sei juventino: per me è stata una ____________, da dimenticare!

8

9 Avverbi in *-mente*

Completa le frasi con gli avverbi degli aggettivi corrispondenti.

1. Te lo dico ________________: questo lavoro non è adatto a te. (sincero)
2. Mia sorella è una ragazza ________________ eccezionale. (vero)
3. Quando è nato Matteo la nostra vita è ________________ cambiata. (completo)
4. ________________ sei arrivato! Ma lo sai che ore sono? (finale)
5. Il sindaco si è scusato ________________ con i cittadini. (pubblico)
6. Il numero di automobili è aumentato________________. (enorme)
7. Ho voluto parlare ________________ con il direttore. (personale)

10 Verbi e avverbi

Trasforma gli aggettivi tra parentesi in avverbi e scegli i verbi corretti.

CONDUTTORE - Oggi per la nostra rubrica "Obiettivo Italia" abbiamo al telefono il Professor Marini, economista e docente universitario; con lui vogliamo parlare di "italianità e Made in Italy". Esiste ancora, professore, un'idea di "italianità", in un mondo (**completo**) ____________ globalizzato come il nostro?

PROF. MARINI - Ma certo che esiste, anche se penso che all'estero ***ci siano / ci sono / ci siano stati*** ancora molti, troppi stereotipi legati a un'immagine dell'Italia ormai superata.

CONDUTTORE - Per esempio?

PROF. MARINI - Beh, io (**personale**) ____________ lo noto proprio quando vado all'estero: molti vestono italiano, mangiano italiano, guidano auto italiane; però mi pare che ***abbiano / hanno / abbiano avuto*** una visione dell'Italia fatta di immagini scontate, prodotti e personaggi tipici, in modo un po' troppo confuso: la Ferrari e la pizza, Versace e la Cappella Sistina, Monica Bellucci e il caffè, Venezia e la pasta.

CONDUTTORE - Perché questo accade, secondo Lei?

PROF. MARINI - Penso che ***sia / è*** (**effettivo**) ____________ anche colpa nostra: da troppo tempo l'Italia non produce niente di (**vero**) ____________ nuovo: l'innovazione e la tecnologia sono i veri motori di questo secolo, ma non abitano in Italia. Questa tendenza negativa può cambiare, purché ognuno di noi ***contribuisca / contribuisce / abbia contribuito*** a ridare al nostro Paese il prestigio che aveva e che può avere ancora: ma ***sia / è / sia stato*** necessario ripensare i nostri obiettivi e la nostra identità, con un piede nella tradizione e l'altro nel futuro. Purtroppo, ho paura che ***passi / passa / sia passato*** troppo tempo da quando essere italiani era un motivo d'orgoglio, ma non possiamo far altro che sperare nelle generazioni future.

11 Lessico

Indica se le frasi sono usate per protestare / reclamare (P) o per scusarsi / giustificarsi (S).

1 ☐ Ci scusi tanto.
2 ☐ Come sarebbe a dire?
3 ☐ È la prima volta che succede una cosa del genere.
4 ☐ Eh, sì, ma sa...
5 ☐ Giuro che è l'ultima volta che...
6 ☐ Ho capito, ma...
7 ☐ L'errore però è vostro!
8 ☐ Le assicuro che...
9 ☐ Le pare il modo di lavorare questo?
10 ☐ Lei ha ragione, ma...
11 ☐ Mi dispiace tanto.
12 ☐ Non capisco proprio come sia successo!
13 ☐ Per fortuna che...
14 ☐ Questa è buona!
15 ☐ Io avrei un problema.
16 ☐ Sì, capisco...
17 ☐ Sono spiacente, ma...
18 ☐ Voglio parlare con un responsabile!

12 Lessico

Completa il dialogo con le espressioni dell'esercizio precedente che ti sembrano più adatte.

8

■ Buongiorno, servizio consegne.
▼ Salve, ____________________. Ho ricevuto un avviso di mancata consegna.
■ Era fuori casa nell'orario di consegna?
▼ ____________________ il pacco è arrivato il 25 dicembre...
■ ____________________, ma sa, noi consegniamo tutti i giorni.
▼ ____________________ il giorno di Natale uno ha anche il diritto di passarlo in famiglia invece di stare a casa ad aspettare voi.
■ Senta, mi può dare il numero scritto sulla cartolina che ha ricevuto?
▼ Sì. J00003452449.
■ Mmh, il suo pacco purtroppo non può essere più consegnato. Deve venire a ritirarlo.
▼ E dove?
■ Al nostro deposito, a Fiumicino.
▼ ____________________ Io sto a Roma, devo perdere una mattinata di lavoro!
■ Eh, lo so, ma...
▼ Va beh, mi dia l'indirizzo esatto! ____________________ uso la vostra agenzia!

parole, parole, parole...

1 Lessico
Leggi i testi e indica qual è il mezzo di comunicazione relativo.

1 ☐ telefono   2 ☐ e-mail   3 ☐ SMS   4 ☐ Facebook

a Oggi voglio condividere con voi questo video della mia gatta mentre gioca con Fabio. Dolcissima, vero?
b Ok, ci vediamo al cinema alle 8. Scegli tu il film. X me va bene tutto.
c Egregio Dottore, mi permetto di presentare domanda per il posto di segretaria...
d ■ Ciao Marina, ti disturbo?
▼ No, no, dimmi...
■ Sono in centro, sto cercando un regalo per mamma. Ho bisogno di un consiglio.
▼ È vero, domani è il suo compleanno...

2 Congiuntivo imperfetto
a. Completa la tabella.

	fare	stare			
io	facessi				
tu		stessi			
lui/lei			fosse		
noi				vedessimo	
voi					
loro					partissero

b. Completa le forme mancanti di questi verbi irregolari, come nell'esempio.

Infinito	*Indicativo presente*	*Indicativo imperfetto*	*Congiuntivo imperfetto*
capire	(io) capisco	capivo	capissi
dire	(io) dico	dicevo	________
bere	(io) bevo	________	________
fare	(io) ________	________	________

c. Ora rifletti e completa la regola.

La ***prima e seconda / prima e terza*** persona ***singolare / plurale*** del congiuntivo imperfetto sono uguali. Il congiuntivo imperfetto, anche dei verbi irregolari, si forma normalmente dall'indicativo ***presente / imperfetto.***

3 Congiuntivo imperfetto

Completa le seguenti frasi con i verbi al congiuntivo imperfetto, *come nell'esempio.*

Anche i tuoi genitori vanno a sciare? Non sapevo proprio che anche loro (*amare*) amassero lo sci!

1. Ma i tuoi bambini hanno ancora fame? Non immaginavo che (*mangiare*) ____________ così tanto.
2. Ma come, viene gente anche stasera? Non pensavo proprio che oggi (*noi - avere*) ____________ degli ospiti!
3. Capiscono anche il giapponese? Non sapevo che (*parlare*) ____________ anche una lingua orientale.
4. Guardate la partita? Non pensavo davvero che (*passare*) ____________ di nuovo la serata davanti alla TV.
5. Stai male? Mi dispiace, non sapevo che (*avere*) ____________ problemi di salute.
6. Ha comprato una nuova macchina? Non immaginavo proprio che (*guadagnare*) ____________ così tanto...
7. Per fortuna sei arrivata. Temevo già che tu non (*riuscire*) ____________ a prendere il treno!
8. Davvero? Tua moglie ama i gialli? Ed io che pensavo che (*essere*) ____________ un'appassionata di romanzi d'amore...

INFOBOX

Il primo personal computer era italiano

Lo sapevate che il primo personal computer al mondo è stato inventato in Italia? Denominato *Programma 101* e prodotto in Italia dall'azienda Olivetti tra il 1962 e il 1964, il primo personal computer della storia rappresentò una vera e propria rivoluzione. *Programma 101* pesava 35 kg e aveva una memoria di 240 byte.

9

4 Riscrittura

Trasforma le seguenti frasi al passato, come nell'esempio.

Ho paura che lui non arrivi in tempo.
Avevo paura che lui non arrivasse in tempo.

1. Temo che tu non mi capisca. ______________________.
2. Non sopporto che i miei mi chiamino «piccola». ______________________.
3. Mi dà fastidio che si fumi in casa. ______________________.
4. Ha paura che non facciamo in tempo ad arrivare. ______________________.
5. Immagino che siano soddisfatti del risultato. ______________________.
6. L'insegnante teme che non studiamo abbastanza. ______________________.

5 Congiuntivo perfetto o imperfetto?

Completa con i verbi al congiuntivo presente *o* imperfetto.

L'italiano s'impara con Facebook
di Alex Corlazzoli

L'italiano ai tempi di Facebook è promosso. Anche l'Accademia della Crusca infatti ritiene che il linguaggio scritto, usato sul pc, (*essere*) ____________ una nuova risorsa da esplorare.
"Internet ha aperto diversi spazi di scrittura rispetto a quelli già conosciuti, che si usavano prima dell'arrivo del pc."
Forse fino ad oggi alcuni insegnanti avevano paura che la lingua del web (*essere*) ____________ troppo "impura" per proporla in classe, ma dopo le affermazioni della più importante istituzione italiana sulla lingua, anche quello dei Social Network deve essere considerato "italiano" a tutti gli effetti.
Ora: io sono un insegnante, e la maggior parte dei miei alunni non ha a casa un libro ma ha un profilo Facebook. I miei ragazzi non scriveranno mai lettere usando la penna ma invieranno mail e post per trovare lavoro, per conquistare una ragazza, per creare un evento. Io stesso tempo fa pensavo che questo (*rappresentare*) ____________ un pericolo, per loro e per l'evoluzione della lingua italiana, temevo che la velocità dei Social Network (*creare*) ____________ una lingua povera e nello stesso tempo (*rallentare*) ____________ la capacità di apprendimento dei ragazzi. Ma poi, guardando in faccia la realtà, ho cambiato idea.

6 *Come se...*

Completa le frasi con i seguenti verbi al congiuntivo imperfetto. *Attenzione: i verbi non sono in ordine.*

andare	avere	capire	mangiare	fare	esserci	essere	stare

1. Parla l'italiano come se ______________ un principiante.
2. Mi sento stanca come se non __________ una vacanza da anni.
3. Ma sai che parli come se io non ______________ niente?!
4. Carla ne è gelosa come se non ______________ altri uomini al mondo.
5. Ma scusa, hai ordinato un'altra pizza?? Come se tu non ______________ da giorni...
6. I miei genitori mi trattano come se ______________ 10 anni!
7. Scusate, ma state bevendo come se ______________ per morire di sete!
8. Oggi ci sono 30 gradi, ma Mario si è vestito come se ______________ a sciare!

7 Lessico

Abbina le espressioni della colonna di destra ai corrispondenti atti comunicativi di sinistra. Per ogni atto comunicativo vanno bene due frasi.

1. presentarsi
2. chiedere di una persona
3. chiedere chi telefona
4. rispondere che la persona cercata è occupata
5. offrire di riferire alla persona che non c'è
6. segnalare un errore

a. Mi spiace, sta parlando sull'altra linea.
b. Scusi, ma Lei chi è?
c. Potrei parlare con Giuseppe?
d. C'è Anna per favore?
e. Chi lo desidera, scusi?
f. Buongiorno, senta, sono il professor Carli.
g. Pronto? Mi chiamo Bertinotti.
h. Devo dirgli qualcosa?
i. Spiacente, ma qui non c'è nessun Ferrari.
l. Vuole lasciare un messaggio?
m. Al momento è occupato.
n. Guardi che ha sbagliato numero...

8 Discorso indiretto

Leggi le seguenti frasi. Chi le dice o le pensa? Completa con il numero della persona.

☐ «Fabio, sto facendo la fila per comprare i biglietti. Ti richiamerò più tardi.»
☐ «Prima dell'inizio dello spettacolo ho il tempo di farmi una dormitina.»
☐ «Senti, io e Paola andremo a giocare a tennis. Se vuoi venire con noi insieme a Luca, devi chiamarci prima delle nove.»
☐ «Mi dispiace, ma purtroppo non ho tempo perché devo finire un lavoro.»
☐ «Non mi sento bene se non mangio qualcosa.»
☐ «Scusi, guardi che stiamo aspettando tutti! E poi il bambino in braccio mi pesa!»

Trasforma ora le frasi da discorso diretto a indiretto.

1 Il ragazzo dice all'amico Fabio che ____ __________ la fila per comprare i biglietti e che ____ ____________ più tardi.

2 Il vecchietto pensa che, prima dell'inizio dello spettacolo, _____ il tempo di _______ una dormitina.

3 Il ragazzo dice che ____ e Paola ___________ a giocare a tennis. Se Sandra _______ __________ con _______ assieme a Luca, ________ ___________ prima delle nove. Sandra risponde che purtroppo non _____ tempo perché _______ finire un lavoro.

4 La signora pensa che non ____ ________ bene se non ________ qualcosa.

5 La signora dice al ragazzo davanti che tutti ________ __________. E aggiunge che il bambino in braccio ____ _______ .

9 Discorso indiretto

Trasforma il discorso indiretto in discorso diretto.

1. Sandra ha detto che, siccome non ha molto tempo, domenica non potrà venire a sciare con noi.
2. Gianni ha detto che gli dispiace, il suo PC si è rotto e quindi non può finire la traduzione.
3. I miei genitori hanno detto che se voglio stasera posso uscire con la mia ragazza.
4. I miei amici mi hanno detto che capiscono perché non ho più voglia di studiare.
5. Il dottore mi ha detto che devo andare da lui alle cinque e che, se non faccio in tempo, devo telefonargli.
6. Il meccanico ci ha detto che la nostra macchina sarà pronta fra sette giorni, ma che se abbiamo davvero fretta, può cercare di ripararla un po' prima.

1. Sandra: ____.
2. Gianni: ____.
3. I miei: ____.
4. I miei amici: ____.
5. Il dottore: ____.
6. Il meccanico: ____
____.

10 Lessico

Completa le seguenti frasi con i connettivi adatti.

prima | anzi | perché | allora | a condizione che | però | quindi | quando | però | se

1. Mi sembrava una faccia conosciuta, __________ non riuscivo a ricordare dove l'avevo visto.
2. Per sabato d'accordo, ti chiamo __________ stiamo per arrivare. Ti abbraccio. Marina
3. Secondo me sempre più gente usa i Social Network per socializzare __________ non ha tempo.
4. __________ vuoi mangiare, ricordati di comprare qualcosa al supermercato.
5. __________, mi fai vedere il tuo nuovo smartphone?
6. __________ di giudicare una persona, devi conoscerla bene.
7. D'accordo che è stata una cosa improvvisa, __________ potevi almeno avvisare!
8. Ha detto che non si sente bene e che __________ stasera non viene da noi.
9. Possiamo vederci un film in streaming, __________ tu abbia una buona connessione.
10. Capisce davvero poco. __________, non capisce proprio niente!

9

invito alla lettura

1 Lessico

Qual è la regione in cui è nato lo scrittore Andrea Camilleri e dove si svolgono i suoi romanzi più famosi?
Completa il cruciverba con le parole corrispondenti a queste definizioni. Se le risposte saranno esatte la soluzione apparirà nelle caselle evidenziate.

1. Personaggio principale di un'opera letteraria o di un film.
2. Forma femminile di *scrittore*.
3. Si chiama *giallo*, ma in realtà è un romanzo...
4. Critica, sotto forma di articolo, di un'opera letteraria.
5. Sinonimo di *quotidiano*.
6. Questo libro contiene la descrizione delle strade e delle caratteristiche di città e regioni.
7. È più lungo del racconto.

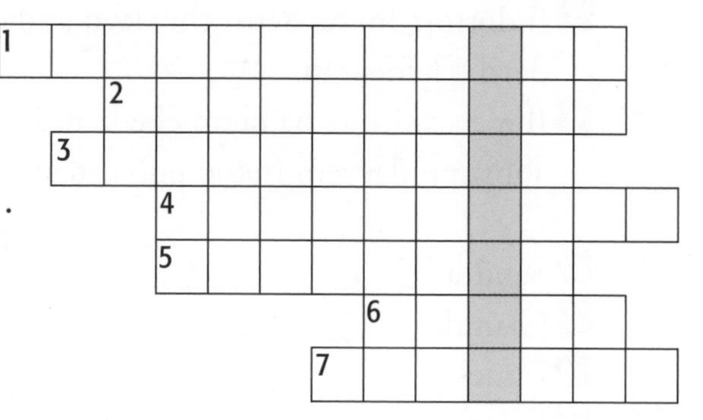

10

2 *Che io sappia...*

Collega le frasi e completa usando che + *il verbo* sapere *al* congiuntivo presente *(nella forma opportuna), come nell'esempio.*

1. Ragazzi, circa la partita di stasera
2. Paola, ______________ Sandro
3. Olga, senti,
4. Hai visto Michele?
5. Signorina, ______________
6. C'è da fidarsi di lui?

a. Mah, ______________ non è ancora arrivato.
b. ______________ ci sono ancora biglietti per il Rugantino?
c. ha ancora la macchina o l'ha già venduta?
d. Ma cosa vuoi ______________ ?
e. è già arrivato il tecnico per il computer?
f. ___che voi sappiate___ è alle 8 o alle 9?

INFOBOX

Gli italiani e la lettura

In Italia solo il 43% delle persone di più di 6 anni dichiara di aver letto almeno un libro non scolastico nell'ultimo anno.
Le donne leggono più degli uomini, una differenza di comportamento che comincia a manifestarsi già a partire dagli 11 anni e tende a ridursi solo dopo i 75.
La fascia di età nella quale si legge in assoluto di più è quella tra gli 11 e i 14 anni (60,8%).
Avere genitori lettori incoraggia la lettura: leggono libri il 77,4% dei ragazzi tra i 6 e i 14 anni con entrambi i genitori lettori, contro il 39,7% di quelli i cui genitori non leggono.

3 Lessico

*Sostituisci nei due testi le parole **evidenziate** con i sinonimi della lista. Attenzione, dove necessario cambia anche l'articolo o le preposizioni articolate.*

appalti pubblici | cantiere | chiacchierare | fango | indagare | omicidio | ostacoli | proprietario | rifiuti

Massimo è il **padrone** del bar della piazza di un piccolo paese della Toscana: il tipico bar dove vanno soprattutto gli anziani, a giocare a carte e soprattutto **conversare**, commentare i fatti e le persone. Ma un giorno in paese avviene un'**uccisione**: la polizia trova tra la **spazzatura** il corpo di una giovane ragazza e capisce che dietro ci sono brutte storie di droga e sesso. Il barista Massimo, su suggerimento di suoi anziani clienti, inizia a **investigare** a modo suo sull'omicidio: a poco a poco scoprirà molte verità a cui la Polizia non può arrivare...

Sono giorni di pioggia a Vigàta, la città del commissario Montalbano. È in una di queste giornate che trovano un uomo morto in un'**area di costruzione**, colpito alle spalle. L'indagine di Montalbano entra nel mondo dei cantieri e dei **contratti per le opere pubbliche**, dove la **terra bagnata dalla pioggia** è solo uno dei **blocchi** che il commissario trova nella scoperta della verità.

10

4 Concordanza dei tempi e dei modi

Leggi le frasi e scrivile al passato, usando il congiuntivo imperfetto.

1 Credo che a Mario non piacciano i gialli.
Credevo ______________________________.

2 Penso che sia troppo tardi per prenotare il biglietto aereo.
______________________________.

3 Pamela spera che il film sia bello come il libro.
Pamela ______________________________.

4 Immagino che tu sia stanca dopo un viaggio così lungo.
______________________________.

5 Non credo che Lorenzo abbia voglia di venire con noi.
______________________________.

6 Mia madre pensa che mia sorella dica sempre la verità.
______________________________.

5 Concordanza dei tempi e dei modi

Completa le frasi con i verbi al congiuntivo presente o imperfetto.

1. Non penso che a Giovanni (*interessare*) ________________ un libro su Verdi.
2. ■ Quanti anni ha Serena?
   ▼ Credo che (*avere*) ________________ circa 50 anni.
   ■ Davvero? Io pensavo che (*essere*) ________________ più giovane.
3. Quando ho sentito suonare il telefono, ho subito sperato che (*essere*) ______________ tu.
4. Non penso che Maurizio (*credere*) ________________ veramente a quello che dice.
5. Giorgia non è mai stata una ragazza sportiva, ma penso che ora (*deve*) ______________ iniziare a fare attività fisica.
6. Siete sicuri che (*volere*) ________________ questo libro, per il suo compleanno?

6 Lessico

Il brano che segue è un riassunto della lettura "Per una biblioteca globale". Senza rileggerla, prova a completare il testo con le parole della lista.

copertina | biblioteca | abbandonato | banale | esperimento | etichetta

registrare | iscritti | catena | temporaneo | funzionamento

10

Quando, alcuni anni fa, Judy Andrews trovò un libro ________________ su una sedia dell'aeroporto di Los Angeles, pensò di essere stata soltanto fortunata. Ma guardando più accuratamente vide una piccola nota sulla ________________. Diceva: «Per favore leggimi. Non sono stato perduto. Sto girando il mondo in cerca di amici».
Era un invito a partecipare ad un ________________ sociologico globale, organizzato da un sito Internet chiamato *bookcrossing.com*, che ha come scopo trasformare il nostro mondo in una enorme ________________.
L'idea è quasi ________________, e forse proprio per questo rivoluzionaria. Sul sito si chiede a tutti i lettori di ________________ loro e i loro libri *on line* e cominciare poi a distribuirli in tutti i posti possibili: bar, ristoranti, cinema, panchine dei parchi cittadini. A ogni libro registrato su *bookcrossing* viene assegnato un numero di identificazione e un'________________ di registrazione che viene stampata e attaccata sul volume. La nota spiega brevemente il ________________ del gioco e chiede a chi ritrova il libro di andare sul sito per indicare dove l'ha trovato e di quale volume si tratta. In questo modo il nuovo proprietario ________________ può leggerlo e poi rimetterlo in circolo.
Sono stati letti finora più di 3 milioni i libri. In Italia il fenomeno conta oltre 30 mila ________________ e l'interesse è in crescita. Chiaramente non tutti i libri arrivano a destinazione. Al momento solo un 10 o un 15% dei volumi "liberati" viene trovato da una persona che si aggiunge alla ________________.

7 Passivo

Trasforma le seguenti frasi dalla forma attiva a quella passiva. Se esiste più di una possibilità scrivile tutte e due, come nell'esempio.

Migliaia di persone **abbandonano** ogni anno dei libri in tutto il mondo.
Ogni anno dei libri **sono/vengono abbandonati** in tutto il mondo da migliaia di persone.

1 Un signore ha abbandonato un libro di John Grisham all'aeroporto di Los Angeles.

______________________________.

2 Il signore non aveva perduto il volume, l'aveva lasciato lì di proposito.

______________________________.

3 Un sito Internet ha organizzato questo esperimento sociologico globale.

______________________________.

4 Il *bookcrossing* assegna a ogni libro un numero di identificazione e un'etichetta.

______________________________.

5 Il responsabile può stampare e attaccare sul volume l'etichetta.

______________________________.

6 Il nuovo proprietario può leggere il libro trovato.

______________________________.

7 I proprietari sperano che i lettori rimettano in circolazione i libri.

______________________________.

10

8 Passivo

Riscrivi le frasi al passivo con essere *e, quando possibile,* venire.

1 Hanno trovato una soluzione che soddisfa tutti.

______________________________.

2 Da bambino lo prendevano sempre in giro perché era molto timido.

______________________________.

3 Quando sarà il momento, sceglieremo la persona adatta per questo incarico.

______________________________.

4 Avevano scelto un regalo che non piaceva a nessuno.

______________________________.

5 Antonio è un esperto di informatica: lo chiamano sempre quando c'è un problema tecnico.

______________________________.

9 Passivo

Francesca sta per partire con Luciano per Malta. Aiutala a completare la lista che sta preparando, usando la forma passiva come nell'esempio.

✓ comprare i biglietti
✓ prenotare l'albergo
preparare la valigia (penultimo giorno)
innaffiare i fiori (ultimo giorno)
controllare i documenti
staccare il frigo e la luce (ultimo giorno)
✓ leggere la guida
portare il gatto dalla vicina (ultimo giorno)
✓ finire il lavoro in ufficio

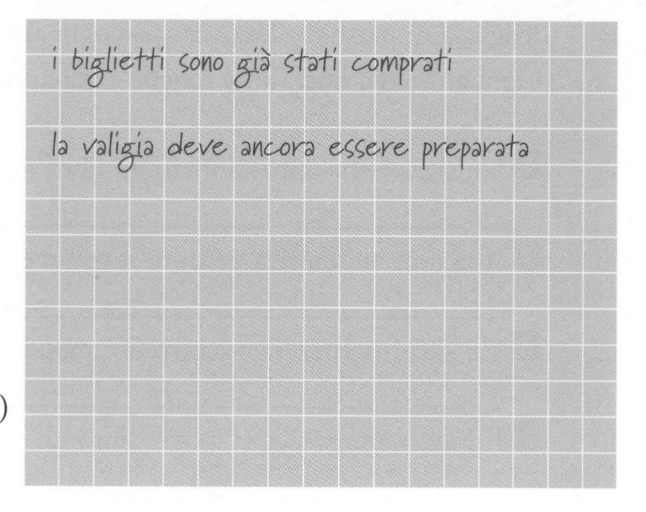

10 Passivo

Completa le frasi con la forma passiva. Poi indica a chi o a che cosa si riferiscono.

10

1 _______ fondata all'inizio del settimo secolo d. C. Per più di mille anni _______ governata dai dogi. Da sempre questa affascinante città piena di ponti _______ considerata una delle più belle d'Italia.

Firenze ☐ Venezia ☐ Roma ☐

2 Ha l'università più antica del mondo e _______ ritenuta anche una delle città dove si mangia meglio in Italia.

Roma ☐ Firenze ☐ Bologna ☐

3 Il suo nome _______ legato ormai da anni al suo romanzo più famoso, "Il nome della rosa": ma è stato anche filosofo, docente universitario, editorialista.

Andrea Camilleri ☐ Umberto Eco ☐ Italo Calvino ☐

4 È un regista italiano. È nato a Napoli nel 1970. Il suo primo film, "Hanno tutti ragione", è del 2010. Nel 2013 ha realizzato "La grande bellezza", che _______ premiato con l'Oscar e ha ricevuto molti altri riconoscimenti, tra cui il Golden Globe e l'European Film Awards.

Federico Fellini ☐ Roberto Benigni ☐ Paolo Sorrentino ☐

5 _______ chiamato anche Anfiteatro Flavio (che è il suo nome originario), ma per tutti è famoso con un altro nome: è il monumento più famoso di Roma e uno dei più fotografati al mondo.

Pantheon ☐ Circo Massimo ☐ Colosseo ☐

11 Lessico

Completa il seguente testo, che è un riassunto del brano di p. 145, e decidi quale parola manca.

Due vecchietti avevano deciso ___1___ attraversare una strada, per raggiungere un giardino pubblico con un ___2___ laghetto. Ma c'era molto ___3___, perché era l'ora di punta, e i due non ___4___ ad attraversare. ___5___ cercarono un semaforo, ma c'erano macchine anche sulle strisce pedonali e Aldo e Alberto (questi i ___6___ nomi), anche se molto magri, non riuscivano proprio a passare. Pensarono, dunque, di riprovare ___7___ tutti erano fermi, ma non ce la fecero ___8___ questa volta. Così ad Aldo venne l'idea di sdraiarsi in mezzo ___9___ strada facendo finta di essere morto per permettere almeno all'amico di attraversare. Ma prima passò una macchina che lo mandò ___10___ e poi una moto che lo riportò al punto di partenza.

	(a)	(b)	(c)
1	a	---	di
2	bell'	bel	bello
3	traffico	auto	flusso
4	riuscivano	potevano	tentavano
5	Mentre	Allora	Quando
6	suoi	suo	loro
7	quando	quindi	se
8	nemmeno	anche	mai
9	alla	della	per
10	d'altra parte	dall'altra parte	da quella parte

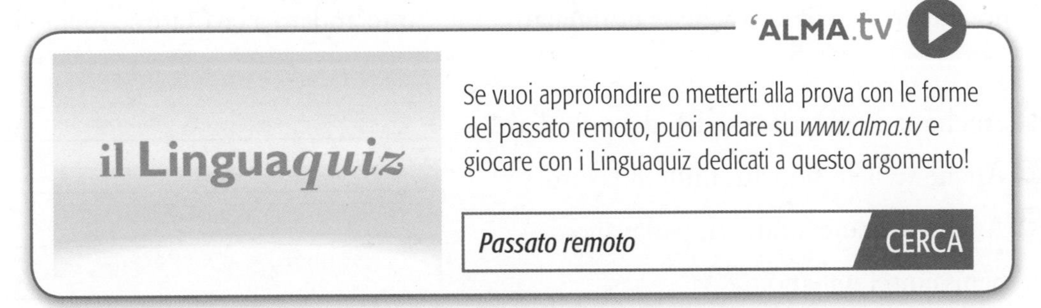

INFOBOX

Scrittori italiani all'estero

Quali sono gli autori italiani che è possibile leggere anche all'estero? I più tradotti sono sicuramente i classici: Dante Alighieri, Alberto Moravia, Italo Calvino e, a sorpresa ma non troppo, un grande scrittore per bambini, Gianni Rodari. Un buon successo all'estero, soprattutto nei Paesi di lingua inglese, lo hanno anche i libri di Elena Ferrante (pseudonimo di una scrittrice - o scrittore - che non ha mai fatto conoscere la propria identità). Ma su tutti domina Umberto Eco, lo scrittore contemporaneo italiano più famoso all'estero: i suoi libri sono stati tradotti in più di 100 lingue!

la famiglia cambia faccia

1 Lessico

Collega i contrari, come nell'esempio.

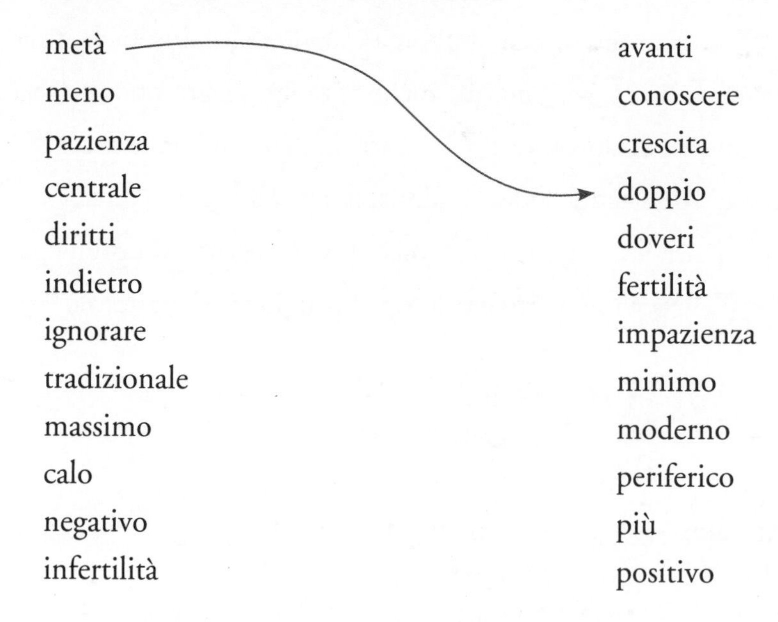

metà	avanti
meno	conoscere
pazienza	crescita
centrale	doppio
diritti	doveri
indietro	fertilità
ignorare	impazienza
tradizionale	minimo
massimo	moderno
calo	periferico
negativo	più
infertilità	positivo

2 *Anche se / Sebbene*

Trasforma le frasi secondo gli esempi.

Esco anche se piove. → Esco sebbene piova.

Sono andato a lavorare anche se ero malato. → Sono andato a lavorare sebbene fossi malato.

1. Anche se non ne ho voglia, devo studiare. ______________________
2. Anche se siete stanchi, finite il lavoro! ______________________
3. Anche se erano stranieri, parlavano benissimo l'italiano. ______________________
4. Anche se si alzavano presto, arrivavano sempre in ritardo. ______________________
5. Anche se perdete, continuate a giocare. ______________________
6. Anche se continuano a sbagliare, hanno fatto molti progressi. ______________________
7. Anche se è nuvoloso, andiamo al mare. ______________________

3 *Nonostante, sebbene, benché, malgrado*

Sottolinea tutte le frasi concessive e trasforma poi le forme con anche se *nelle corrispondenti forme con* nonostante/sebbene/benché/malgrado *e viceversa, come nell'esempio.*

Avevo deciso che sarei andata a sciare a tutti i costi. E così, anche se il tempo non era particolarmente bello, mi sono alzata presto e mi sono messa in macchina. C'era traffico, ma sono arrivata a Pampeago abbastanza presto. C'erano già diversi bus parcheggiati nel piazzale e moltissime auto di turisti. La mia amica Albina mi aveva promesso che sarebbe venuta con me, ma non so perché non si è fatta vedere. Ma è stato divertente anche se ero da sola. Sebbene ci fosse molta gente ho potuto sciare senza problemi (sono brava, anche se mio marito – che è maestro di sci – dice il contrario!). A pranzo mi sono fermata per mangiare un panino al formaggio e poi via di nuovo sulle piste. Insomma, malgrado ci fosse un freddo terribile, non mi sono più fermata fino alle cinque. È stata una giornata bellissima!

1 Nonostante/Sebbene/Benché/Malgrado il tempo non fosse particolarmente bello...
2 ________________
3 ________________
4 ________________
5 ________________

11

4 Lessico

Completa i dialoghi con le espressioni della lista.

Che poi | Davvero? | Hai saputo che | Eh, infatti! | Sì, ecco, quello.

1 ■ Lo sai che Mauro non mangia né carne, né uova, né latte? È un… come si dice…
▼ È un vegano.
■ ________

2 ■ ________ Giorgio e Rita si sono lasciati?
▼ Nooo! Ma si dovevano sposare tra un mese!

3 ■ Oggi sono andato dal direttore e gli ho detto che è un idiota.
▼ ________

4 ■ Mamma mia che freddo!
▼ ________

5 ■ È strano che Luigi non sia mai contento. ________ si è appena sposato, no?
▼ Sì, con una bellissima ragazza argentina.
■ Ecco, appunto.

5 Comparativi e superlativi

Completa con le forme irregolari del comparativo o del superlativo di buono, cattivo, grande, piccolo.

1 ■ La cosa ____________ che si possa fare è partire per un viaggio e dimenticare gli occhiali!
▼ Eh sì, hai ragione.

2 ■ Buona questa pizza!
▼ Sì, ma quella che abbiamo mangiato la volta scorsa era ____________.
■ Beh, guarda, io penso che ______________ di tutte siano quelle che fanno al «Roma». Sono davvero ___________!

3 ■ Guadagni bene con il tuo lavoro?
▼ No, _____________ necessario per vivere.

4 ■ Mi scusi, su questi vestiti c'è solo il 15% di sconto?
▼ Sì, ma se ne compra due c'è uno sconto ___________.

5 ■ Mm, cattivo questo caffè, no?
▼ Non cattivo, è addirittura ____________!

11

6 ■ Carlo è il tuo fratello maggiore?
▼ No, è _______________.

7 ■ Com'è andata?
▼ Malissimo, abbiamo perso 5 a 0, è stata la nostra ________________ partita.

INFOBOX

Un test su 8.000 ragazzi italiani

Un test su 8.000 ragazzi italiani, la cui unica domanda era «Quale professione vorresti fare?», ha dato questi risultati.
Per i ragazzi: 1° fare il manager, 2° pilotare un aereo, 3° fare l'elettricista, 4° lavorare alla cassa di un bar/negozio, 5° dirigere un giornale, 6° insegnare all'università, 7° fare politica, 8° condurre autobus o treno, 9° e 10° (ambedue 0,6%) assistere gli anziani, insegnare alla scuola materna.
Per le ragazze: 1° insegnare alla scuola materna, 2° fare il manager, 3° lavorare alla cassa di un bar/negozio, 4° insegnare all'università, 5° dirigere un giornale, 6° pilotare un aereo, 7° fare politica, 8° assistere gli anziani, 9° fare l'elettricista, 10° condurre autobus o treno.

6 *Fare* + infinito

In quali frasi il verbo fare *potrebbe essere sostituito da* lasciare? *Trascrivile come nell'esempio.*

1. Sai che mi ha fatto usare il suo computer? Sai che mi ha lasciato usare il suo computer?
2. Hai già fatto riparare la macchina? ______
3. Fammi entrare! Fa freddo fuori... ______
4. Mi fai provare i tuoi pantaloni? ______
5. Mi fate sempre perdere un sacco di tempo! ______
6. Fammi capire cosa ti passa per la testa. ______
7. Fatemi passare, per cortesia! ______
8. I miei mi fanno sempre fare quello che non voglio. ______
9. I miei mi fanno sempre fare quello che voglio. ______
10. Quel libro mi ha fatto proprio ridere. ______
11. Fammi pensare un momento! ______

7 Lessico

Fare *è forse il verbo più usato in italiano. Al tuo livello, però, sei in grado di sostituirlo con altre forme più eleganti (e a te già note). Trasforma le frasi con il verbo appropriato, come nell'esempio.*

costruire	~~creare~~	cucinare	percorrere	porre
praticare	presentare	prestare	produrre	seguire

1. Dio fece il mondo dal nulla. Dio creò il mondo dal nulla.
2. Perché non fate mai attenzione a quello che dico? ______
3. Faccia la domanda entro il 10 febbraio! ______
4. Ieri con la macchina ho fatto 100 chilometri. ______
5. Com'è dimagrita. Avrà fatto una dieta? ______
6. In quella ditta si fanno bellissimi mobili. ______
7. Mia madre mi fa sempre dei piatti magnifici. ______
8. In città hanno fatto un nuovo impianto sportivo. ______
9. Mi faceva sempre un sacco di domande. ______
10. È vero che fa moltissimi sport? ______

11

8 *Ci si*

Abbina le frasi.

1. Dopo un giornata faticosa
2. Se si frequenta la scuola
3. Alle comodità
4. Se non si ha quella calda
5. Dopo una bella doccia
6. In Italia
7. D'inverno

ci si

a. separa sempre di più.
b. alza verso le sette.
c. ammala spesso.
d. abitua facilmente.
e. riposa volentieri.
f. sente proprio bene.
g. lava con l'acqua fredda.

9 *Ci si*

Sostituisci nelle seguenti frasi uno/qualcuno/la gente/tutti/le persone *con* ci si, *secondo il modello. Attenzione ai tempi verbali.*

Uno/Qualcuno/La gente si abitua. – Tutti/Le persone si abituano facilmente.
Ci si abitua facilmente.

1. Ultimamente tutti si sono abituati alle comodità.
   Ultimamente ____ ____ __________ abituati alle comodità.
2. Se qualcuno si impunta e traduce «topo» per «mouse», nessuno capisce.
   Se ____ ____ __________ e si traduce «topo» per «mouse», nessuno capisce.
3. Le persone si lamentano spesso di molte cose.
   ____ ____ __________ spesso di molte cose.
4. Pensando troppo alla grammatica, spesso uno si blocca.
   Pensando troppo alla grammatica, spesso ____ ____ __________ .
5. Se uno si arrende subito, non ottiene niente.
   Se ____ ____ __________ subito, non si ottiene niente.
6. Quando la gente si trasferisce all'estero, dovrebbe imparare la lingua del Paese ospitante.
   Quando ____ ____ __________ all'estero, si dovrebbe imparare la lingua del Paese ospitante.
7. Se le persone non si fidano nemmeno degli amici, allora...
   Se non ____ ____ __________ nemmeno degli amici, allora...

11

10 Lessico

Ricordi questi vocaboli? Completa la tabella.

verbo	sostantivo	aggettivo	avverbio
---	____________	attento	____________
aumentare	____________	---	---
____________	il controllo	---	---
crescere	____________	____________	---
---	____________	disponibile	---
____________	____________	frequente	____________
____________	la nascita	____________	---
preoccuparsi	____________	____________	---
---	____________	severo	____________
---	____________	sicuro	____________
---	____________	____________	sinceramente
---	____________	____________	tradizionalmente
____________	____________	vivente	---

Rispondi ora a questa domanda: di che genere sono i sostantivi in -zione*?*
Maschili o femminili?

INFOBOX

Perché i figli restano in famiglia?

Così ha risposto un gruppo di 18-34enni italiani che vivono con almeno un genitore: «perché godo di libertà (48,1%), sto ancora studiando (27,5%), non ho un lavoro stabile (16,8%), ho difficoltà nell'affitto o acquisto della casa (16,4%), altrimenti dispiacerebbe ai miei genitori (7,1%), ho paura ad andar via (6,7%), dovrei fare troppe rinunce (4,8%), i miei hanno bisogno di me (3,3%)».

11 Ricapitoliamo

Quali parole associ all'idea di famiglia?
Quali sono i cambiamenti avvenuti all'interno della famiglia italiana? Quale ne è la causa? Cambiamenti analoghi si sono avuti anche nel tuo Paese? Da noi si assiste a un calo demografico. Anche da voi? Qual è il motivo? Che ruolo hanno i nonni in una società in cui tante donne lavorano? Che ne pensi delle coppie che si sposano molto presto? È un vantaggio o uno svantaggio? Potrebbe essere questa la causa di tanti divorzi e separazioni? Quali sono secondo te i motivi di maggior conflitto fra genitori e figli? All'interno della coppia ritieni giusto che ci sia una suddivisione delle faccende domestiche? Oppure pensi che queste ultime siano di esclusiva competenza femminile?

test 3

TOTALE __/100

1 Lettura

__/10

Riordina il dialogo come nell'esempio.

☐ ■ Beh, allora voglio parlare col proprietario!
☐ ■ Beh, sarà di ottima qualità, ma Le assicuro che è rotto!
☐ ■ No, domani ho altri impegni, ma Le assicuro che questa non è l'ultima volta che mi vede!
☐ ■ Certo! Gliel'ho detto: non funziona. Volevo solo sapere se me lo cambiate.
1 ■ *Buon giorno, senta, la settimana scorsa ho comprato questo frullatore, ma non funziona.*
☐ ■ Scusi, eh, ma è veramente incredibile! Io compro un elettrodomestico nuovo e voi non lo cambiate dopo una settimana. Secondo Lei cosa dovrei fare?
☐ ▼ Mi spiace, ma al momento non c'è. Non può ripassare domani?
☐ ▼ Sono desolato, non so che dirLe. Io sono solo il commesso!
☐ ▼ Rotto? Come sarebbe a dire? Ne è proprio sicuro?
☐ ▼ Che Le devo dire? Mi sembra impossibile. È di ottima qualità...
☐ ▼ No, sono davvero spiacente, ma così, su due piedi, non possiamo sostituirlo. Prima dobbiamo farlo vedere al nostro tecnico e poi verificare se per caso Lei...

3

2 Ascolto | Vero o falso

41 __/10

Ascolta il dialogo e poi indica se le frasi sono vere o false.

	vero	falso
1 La signora è al parco con il figlio.	☐	☐
2 L'uomo lavora nel parco.	☐	☐
3 La signora sta parlando al telefono con un'amica.	☐	☐
4 L'uomo sta leggendo un giornale.	☐	☐
5 La signora si siede vicino all'uomo.	☐	☐
6 L'uomo ha un cane molto rumoroso.	☐	☐
7 La signora pensa che l'uomo sia uno scrittore.	☐	☐
8 L'uomo cambia panchina.	☐	☐
9 La signora cambia opinione sull'uomo.	☐	☐
10 Alla fine la signora chiama la polizia.	☐	☐

3 Ascolto | Risposta multipla

41 __/10

Scegli l'opzione corretta.

1 Cosa intende la signora quando dice "bambino"?
a Vuole dire che ha un figlio.
b Parla al cane come a un bambino.

2 L'uomo è:
a un postino.
b uno scrittore.

3 L'uomo è al parco per un motivo:
a Conoscere nuove persone.
b Leggere in tranquillità un libro.

4 Leggere un libro "giallo" significa:
a Leggere una storia d'amore.
b Leggere una storia poliziesca.

4 Avverbi in *-mente*

__ /10

Completa le frasi con gli avverbi derivati dagli aggettivi dati.

1 Carlo e Elena sono ________ sposati da quasi quarant'anni. *(felice)*
2 Paolo viene __________ con noi allo stadio domenica. *(sicuro)*
3 Fa _________ freddo stasera! *(vero)*
4 Questo quadro è _________ un falso! *(chiaro)*
5 Se Luca non è ancora arrivato, _________ significa che il suo treno era in ritardo. *(probabile)*

5 Congiuntivo imperfetto

__ /10

Completa le frasi con il congiuntivo imperfetto.

1 Non pensavo che Lidia e Gianni *(stare)* _________ insieme da così tanti anni.
2 Avevo paura che tu non *(arrivare)* ________ in tempo!
3 Che meraviglia questa piazza! Non pensavo che Parma *(essere)* ______ così bella.
4 Non credevo che fuori dall'Italia il caffè al bar *(costare)* ______ così tanto.
5 Non sapevo che Flavio *(parlare)* _______ il tedesco così bene.
6 Che bello, non sapevo che anche voi *(lavorare)* ______ in questo centro commerciale! Dobbiamo assolutamente vederci durante la pausa pranzo qualche volta!
7 Ilaria credeva che io *(avere)* ______ trent'anni.
8 Non sapevo che Anna e Jacopo *(avere)* _______ una casa al mare così bella.
9 Pensavo che tu mi *(dire)* ________ la verità.
10 Avevamo paura che voi *(spendere)* ________ troppo per i biglietti del treno.

6 Discorso indiretto

__ /10

Riscrivi le frasi usando il discorso indiretto.

1 Marina: "Giovedì andrò a casa di Stefania per organizzare il viaggio in Australia."
Stefania dice: "Marina ha detto che ______________________________ ".
2 Loretta: "Io e Giacomo ci siamo sposati anche se i miei genitori erano contrari".
Loretta dice che ____.
3 Paola: "Silvana mi ha inviato una mail, ma io non l'ho ancora letta."
Paola ha detto che ____.
4 Daniele: "Allora, per Capodanno venite tutti a cena da me".
Daniele dice che ____.
5 Luca: "Mia figlia mi somiglia molto fisicamente, ma il carattere è quello di mia moglie."
Luca dice che ____.

3

7 Concordanza dei tempi

(__ /10)

Completa le frasi scegliendo la forma verbale corretta.

1. Sei sicuro che Giulia **venga / venisse** domani a scuola?
2. Non credevo che in Puglia **ci siano / ci fossero** tutti questi turisti.
3. Pensavo che Miriam **sia / fosse** laureata in Biologia, invece mi ha detto di essere farmacista.
4. Purtroppo non penso che Ilaria **arrivi / arrivasse** in tempo: mancano solo 5 minuti all'inizio del film e deve ancora parcheggiare.
5. Speravo che **venga / venisse** anche Sergio alla festa... Che delusione!

8 Forma passiva

(__ /10)

Riscrivi le frasi al passivo con essere *e, quando possibile, con* venire.

1. Attiva: Dino Buzzati ha scritto "Il deserto dei Tartari" negli anni '30.

Passiva con *essere*: ______________________________

Passiva con *venire (se possibile)*: ______________________________

2. Attiva: Questa casa editrice pubblica molti libri di autori latinoamericani.

Passiva con *essere*: ______________________________

Passiva con *venire (se possibile)*: ______________________________

3. Attiva: Dicono che quest'anno la giuria assegnerà il premio Strega a un autore esordiente.

Passiva con *essere*: ______________________________

Passiva con *venire (se possibile)*: ______________________________

4. Attiva: Italo Calvino ha tradotto in italiano un libro dello scrittore francese Queneau.

Passiva con *essere*: ______________________________

Passiva con *venire (se possibile)*: ______________________________

5. Attiva: Einaudi pubblicherà il suo nuovo romanzo.

Passiva con *essere*: ______________________________

Passiva con *venire (se possibile)*: ______________________________

9 Sebbene, anche se

(___ /10)

Trasforma le frasi come nell'esempio.

Lo invito alla festa anche se mi ha fatto arrabbiare. → Lo invito alla festa sebbene mi abbia fatto arrabbiare

1. Anche se erano sposati, non volevano figli. → ____________________

2. Anche se non ti piace la matematica, devi studiarla lo stesso. → ____________________

3. Anche se faceva freddo, è uscita senza la sciarpa. → ____________________

4. Anche se ho sonno, non voglio andare a dormire. → ____________________

5. Anche se non avevamo fame, abbiamo mangiato una pizza. → ____________________

10 Lessico

(___ /10)

Completa il testo con le parole della lista.

migrazione | metropoli | abbassare | popolazione | ultrasessantenni | aumento | frequentare | media | natalità | contraccezione

L'Italia, con una (1) __________ di 1,18 bambini per donna, occupa il posto più basso della classifica mondiale della (2) __________. [...]
Chi l'avrebbe mai detto? Trenta anni fa si temeva che l' (3) __________ della popolazione mondiale consumasse troppo velocemente le risorse della Terra. Oggi al mondo siamo 6 miliardi ma il tasso di crescita è sceso all'1,2 per cento. Sono molti i fattori che hanno fatto (4) __________ il numero delle nascite: la diffusione della (5) __________, la maternità in età sempre più avanzata, un numero maggiore di donne sul lavoro e una diffusa (6) __________ dalle campagne alle città. [...]
Il sociologo francese Jean-Claude Kaufman attribuisce l'aumento delle famiglie con un figlio unico alla «crescita dell'individualismo». Con un figlio solo è più facile portare la famiglia in un albergo a quattro stelle o in un safari in Tanzania. Vivere in un piccolo appartamento di una (7) __________ è più facile e se parliamo poi di educazione non c'è confronto: i figli unici hanno molte più possibilità dei loro amici con fratelli di (8) __________ prestigiose scuole private. [...]
Anche l'età della (9) __________ mondiale aumenta rapidamente: il numero di (10) __________ nei prossimi 50 anni triplicherà e gli over 80 saranno cinque volte di più.

3

feste e regali

1 Lessico

Cancella dallo schema le parole relative alle definizioni (scritte di seguito, come nell'esempio). Le lettere rimaste ti daranno un famoso proverbio italiano.

1. La festa del ___papà___ è il giorno di San Giuseppe.
2. Si dice che a ______________ ogni scherzo vale.
3. Una tipica ricetta di un particolare giorno di festa è il cotechino con le ______________.
4. A Natale in alcuni Paesi si fa l'albero, in altri il ______________ .
5. Il primo di ______________ si festeggia il giorno di Ognissanti.
6. ______________ è l'ultimo giorno dell'anno, che si chiude con il «cenone».

~~P~~	~~A~~	N	A	~~P~~	~~A'~~	C	A	T	R
N	A	L	E	V	A	E	L	E	L
E	C	O	N	T	I	C	N	C	H
I	I	T	U	E	P	O	R	E	I
S	E	P	I	O	E	P	A	S	N
O	Q	V	U	E	A	C	O	M	B
N	R	E	C	H	I	S	S	V	I
L	U	V	E	O	S	T	R	I	O

Soluzione: _!

2 Lessico

Completa i dialoghi con le seguenti espressioni.

dai | dai | mica | mica | mica | per carità | sia chiaro

1. ■ Ho ancora tempo?
   ▼ Certo, ____________ ti ho detto che devi finire per domani!
2. ■ ____________, non ti va proprio di venire?
   ▼ Mah, ho paura di annoiarmi…
3. ■ Avete voglia di uscire?
   ▼ ____________! Con questo freddo?
4. ■ Aspetta un attimo.
   ▼ Sì, però sbrigati! Non vorrai ____________ perdere l'aereo?!
5. ■ Allora? Che facciamo a Capodanno?
   ▼ ____________: io in montagna quest'anno non ci vengo!
6. ■ ____________, andiamo, il film comincia alle otto.
   ▼ Ma non siamo ____________ in ritardo, sono ancora le sette!

12

3 Dialogo combinato

Ricostruisci il dialogo.

☐ Beh, così importante no, ma… insomma devo mettere in ordine l'appartamento.
☐ Sì, va bene, mi sembra un buon orario.
☐ Beh, ripensandoci potrei cercare di sbrigarmi in fretta, calcolando poi che forse Sara verrà a darmi una mano…
☐ Eh, mi piacerebbe, ma non posso.
☐ Peccato! Allora niente da fare?
☐ Perché? Hai un impegno così importante?
☐ Purtroppo no, perché la mattina ho un sacco di cose da fare e io ci tengo al lavoro…
1 Pronto, Alessandra, ti va di uscire oggi?
☐ Vedi?! Passo da te allora, verso le quattro?
☐ Benissimo allora. Ciao, a più tardi.
☐ Ma dai! Non lo puoi fare domani?

4 Futuro nel passato

Collega le frasi di sinistra con quelle di destra e coniuga i verbi come nell'esempio.

1 Quel meccanico non è affidabile. Mi aveva promesso che → c
2 Mi avevi promesso che quest'inverno
3 Sempre all'ultimo momento! Mi avevate giurato che
4 Clara, ma Luigi non ti aveva assicurato che
5 Giulio aveva promesso alla moglie che a Pasqua
6 La segretaria aveva promesso al direttore che
7 I miei mi avevano detto che

a (*spedire*) __________ le mail il più presto possibile.
b non (*arrivare*)__________ più __________ in ritardo!
c mi (*riparare*) avrebbe riparato la macchina per domani.
d mi (*portare*) __________ a sciare!
e la sera (*uscire*) __________.
f (*festeggiare*) __________ con te?
g l' (*portare*) __________ alle Maldive.

INFOBOX

Festa del Redentore

La Festa del Redentore è una delle più caratteristiche di Venezia e una delle più amate dai Veneziani. Risale al 1576, anno in cui il Senato della Repubblica – in seguito a una terribile pestilenza che aveva colpito la città – promise di costruire una chiesa in onore di Cristo Redentore e di organizzarvi una processione ogni anno, la terza domenica di luglio. Si tratta di una festa di suoni e di luci: vi partecipano centinaia di imbarcazioni ornate di palloncini colorati che, dopo il grande spettacolo dei fuochi d'artificio sull'acqua, fra canti e suoni girano per i canali della città fino ad arrivare al Lido, dove aspettano insieme l'alba.

12

5 Lessico

Elimina l'espressione estranea alle altre due. Se la soluzione sarà esatta, le lettere delle frasi rimaste, lette nell'ordine, daranno un proverbio italiano che riguarda i regali.

1 Ci tengo molto ai miei amici.

Per me sono molto importanti. (ACA)
Mi stanno molto a cuore. (VAL)
Li conosco da molto tempo. (SEM)

2 Però dai, l'idea non era male.

L'idea era abbastanza buona. (DON)
L'idea era cattiva. (BRA)
L'idea non era cattiva. (ATO)

3 Mi sono accorto che si trattava di un regalo riciclato.

Sapevo che… (CHE)
Ho notato che… (NON)
Ho capito subito… (SIG)

4 Ha fatto una figuraccia.

Ha dato una cattiva impressione di sé. (UAR)
Non era in forma. (SOP)
Ha fatto una brutta figura. (DAI)

5 Sarei voluta sprofondare!

Sarei voluta scomparire! (NBO)
Mi sarei voluta nascondere! (CCA)
Mi sarei voluto abbassare! (NTO)

Soluzione: _.

Significa che un regalo va accettato così com'è.

INFOBOX

Regata storica

Ogni anno, la prima domenica di settembre, ha luogo a Venezia la Regata Storica, per ricordare le antiche regate che si disputavano nelle acque della laguna veneta fin dal 13° secolo con imbarcazioni che avevano fino a 20 rematori.
La manifestazione inizia con il Corteo storico che sfila con i costumi del 16° secolo e che vuole ricordare il memorabile arrivo a Venezia della regina di Cipro, Caterina Cornaro. Segue poi il corteo delle ricche gondole da parata e delle imbarcazioni a più remi delle varie società. Infine iniziano le gare vere e proprie, quelle dei giovanissimi, delle donne e dei «gondolini» a due remi. Finite le gare, tutti i canali si riempiono di barche e iniziano spettacoli d'arte varia nei campi e nei campielli.

6 Lessico

Segna con una X la reazione appropriata a queste frasi. Se le risposte saranno esatte, le lettere dei riquadri, lette nell'ordine, daranno il nome della regione dove si trova Fano, sede di uno dei carnevali più antichi d'Italia.

1 Allora ti sbrighi?
[C] Beh, più tardi!
[M] Perché? Siamo forse in ritardo?
[O] Quando? Più tardi?

2 Non ti va di venire?
[A] Mah, onestamente non ci tengo tanto.
[R] No, non posso.
[M] Sì, ci vado domani.

3 Che c'è che non va?
[S] Ci vado dopo.
[B] Con la mia macchina.
[R] È che sono proprio stressato.

4 Non sarebbe meglio saltare una portata?
[Z] E dove?
[C] Hai ragione, si mangia sempre troppo.
[B] Non ne ho voglia!

5 Perché cerca di rifilarmi sempre qualcosa?
[D] Perché gli piace ricevere regali.
[H] Beh, vuole solo privarsi di un suo oggetto per te.
[F] Mah, farà una figuraccia!

6 Ci sei rimasto male?
[A] No, non mi è rimasto proprio niente.
[E] Beh, poteva anche comportarsi meglio!
[O] Sì, là non mi piaceva.

Soluzione: _ _ _ _ _ _

7 Periodo ipotetico

Abbina i disegni al testo corrispondente.

1 Se si sposasse farebbe felice una persona: me.
2 Le dispiacerebbe scrivermelo su un foglietto? Le mie amiche non mi crederebbero mai se raccontassi che ho guidato a questa velocità...
3 Sarei contento se ne aveste uno più educato.
4 Stefano, se tu non avessi impegni importanti, stasera potremmo andare in discoteca.
5 Arturo, ti dispiacerebbe se mia madre venisse a stare da noi per un paio di giorni?

8 Periodo ipotetico

Trasforma le frasi come nell'esempio.

Arriva sempre tardi e così perde il treno.
Se arrivasse prima (se non arrivasse sempre tardi), non perderebbe il treno.

1. La stanza è molto buia e quindi non è molto accogliente.
   ______________________________.
2. Quelle scarpe sono troppo care e così non le compro.
   ______________________________.
3. È sempre distratto e così ha sempre un sacco di difficoltà.
   ______________________________.
4. C'è troppo traffico e quindi non prendo la macchina.
   ______________________________.
5. Hanno sempre poco tempo e così fanno tutto di fretta.
   ______________________________.
6. Non mi danno mai una mano e così devo fare tutto da solo.
   ______________________________.
7. Franco è pessimista e avaro e per questo non lo trovo simpatico.
   ______________________________.

12

9 Periodo ipotetico

Completa le frasi con i seguenti verbi.

alzarsi	avere	vedere	fare	funzionare	avere	sposare	spedire

1. Se non ______________ la macchina, non potrei vivere in campagna.
2. Se il mio vecchio PC ______________ ancora, non sarei costretta a comprarne uno nuovo.
3. Se la mattina ______________ un po' prima, non dovresti fare tutto così in fretta.
4. Se Lucia ______________ mio fratello, sarei molto felice.
5. Se i miei genitori ______________ il pacco adesso, sicuramente arriverebbe entro Natale.
6. Se ______________ più soldi, comprerebbero una nuova auto.
7. Se mia madre mi ______________ ora, sarebbe orgogliosa di me!
8. Se qualcuno mi ______________ un regalo riciclato, ci rimarrei molto male.

10 Periodo ipotetico

Da tempo Luciana sogna una macchina sportiva e un giorno le capita fra le mani un catalogo con la foto di una Ferrari. Cosa sogna?

Se (*potere*) __________ comprarmi questa macchina, ne (*essere*) __________ felicissima! Prima di tutto (*partire*) __________ per un lungo viaggio in autostrada e (*potere*) __________ divertirmi ad andare a tutto gas. Poi (*girare*) __________ un po' dappertutto. In estate (*essere*) __________ bellissimo. (*Tirare*) __________ giù il tettuccio e (*avere*) __________ il vento fra i capelli. Sì, già, ma se (*fare*) __________ freddo? Beh, allora (*mettersi*) __________ un bel maglione e comunque non (*lasciare*) __________ certo la Ferrari in garage! Che macchina meravigliosa! Ripensandoci, però, il bagagliaio è un po' piccolo... Se (*avere*) __________ tante valigie come (*fare*) __________? Quello dei bagagli forse (*essere*) __________ un problema?

Mah, forse (*fare*) __________ meglio a pensare a qualcosa di più pratico. Forse (*dovere*) __________ risparmiare i soldi? Già, i soldi. A proposito, mica li ho per comprarmi la Ferrari. D'altra parte se ogni tanto non si (*sognare*) __________ ...

11 Ricapitoliamo

Quali sono le festività/tradizioni italiane che conosci? Esistono anche nel tuo Paese e anche da voi vengono festeggiate nel medesimo modo? Fra quelle citate ce n'è una che ti piace particolarmente/non ti piace per niente? Perché? Secondo te è importante rispettare le tradizioni? Che ne pensi dei regali? In che occasioni li fai/ricevi? Che ne pensi dell'uso di riciclare i regali? Come reagiresti se ne ricevessi uno?

italiani nella storia

1 Lessico

Completa con le parole della lista i tre profili dei personaggi conosciuti a p. 176.

scienza	Papa	matematico	spazio	assassina	epoca	terribile

1 GALILEO GALILEI
Sono stato un grande filosofo, _______________ e astronomo del 1600. Secondo me la religione doveva occuparsi solo di problemi morali e non di _______________! Copernico diceva che la terra gira intorno al sole, e non il contrario, e io ho dimostrato che aveva ragione, inventando il telescopio per guardare lo _______________. Sono stato accusato di eresia e condannato. E per rimanere in vita ho dovuto abiurare, cioè ho dovuto dire che le cose che avevo dimostrato non erano vere.

2 LUCREZIA BORGIA
Ero la figlia illegittima di un _______________, Alessandro VI, ed ero bellissima. La fama che avevo era _______________, si diceva che fossi l'amante di mio padre e di mio fratello. E poi la leggenda mi descrive come un'_______________, bravissima nell'uso di un terribile veleno, la Cantarella. La verità è che a Ferrara all'inizio del 1500, mi corteggiavano i più importanti artisti, poeti e principi dell'_______________ e che negli ultimi anni della mia breve vita ho aiutato i più poveri e bisognosi.

13

2 Lessico

Completa il cruciverba sulla vita di Leonardo da Vinci. Poi verifica a p. 178.

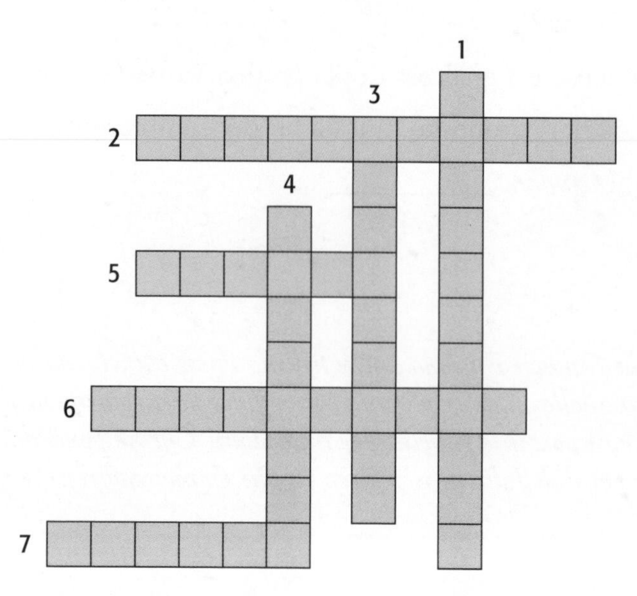

orizzontali

2 Le raccontava Leonardo agli ospiti di una sua "strana" festa.

5 Alcuni pensano che la scrittura al contrario di Leonardo fosse un _ _ _.

6 Leonardo era molto interessato alla _ _ _ delle persone.

7 A Leonardo non piaceva vedere gli animali in _ _ _.

verticali

1 Leonardo non mangiava carne: era _ _ _.

3 La usava per spaventare gli amici.

4 L'opera più famosa di Leonardo, al Louvre di Parigi.

3 Gerundio

Completa con i verbi al gerundio.

1. Mauro? L'ho visto uscire di fretta (*sbattere*) ______________ la porta.
2. Non aveva studiato molto per l'esame, (*pensare*) ______________ fosse facile. Purtroppo per lui, non era così.
3. Sara vorrebbe vivere (*fare*) ______________ solo quello che le piace: viaggiare, imparare le lingue e conoscere sempre persone nuove.
4. Ha parlato di Sandra in modo poco gentile (*credere*) ______________ che non fosse nella stessa stanza.
5. Ho imparato lo spagnolo (*guardare*) ______________ molti film in lingua originale e poi (*vivere*) ______________ a Madrid per un anno.
6. Elisa si è fatta male (*sciare*) ______________.
7. Nel 1862 Garibaldi fu ferito a un piede (*combattere*) ______________ in Calabria.
8. Mi sono addormentato (*leggere*) ______________ un libro di storia.
9. Quando se ne è andato, ci ha salutati (*dire*) ______________ "Arrivederci!".
10. Secondo me, si è ammalato (*bere*) ______________ quel pessimo vino.
11. (*Parlare*) ______________ con Sonia, ho pensato a mia figlia, che ha la sua stessa età.
12. Se ne è andato (*dare*) ______________ un bacio a tutti gli amici che erano lì a salutarlo.

13

4 Gerundio

Completa con i verbi al gerundio *e poi indica se hanno funzione modale (M) o temporale (T), come nell'esempio.*

andare	ascoltare	fare	ripetere	sbagliare	tradurre	uscire	vedere

1. [M] ______________ quel film, mi sono messa a piangere.
2. [ ] È noto che ______________ si impara.
3. [ ] ______________ di casa abbiamo incontrato i nostri amici.
4. [ ] ______________ ad alta voce i vocaboli, mi sembra di migliorare la mia pronuncia.
5. [ ] ______________ gli esercizi d'italiano, mi concentro molto.
6. [ ] ______________ in centro, incontravo sempre Eva.
7. [ ] Studio sempre ______________ la radio.
8. [ ] ______________ ho sempre bisogno di un vocabolario.

5 Aggettivi in *-bile*

Sostituisci l'espressione sottolineata con l'aggettivo adatto, come negli esempi.

1. Il tuo è un progetto che può essere realizzato. realizzabile
2. Alcune parole non si possono tradurre. sono intraducibili
3. Si tratta di una storia che può essere creduta. ______
4. Quello è stato un viaggio che non può essere dimenticato. ______
5. Il suo era un comportamento che non poteva essere compreso. ______
6. Era un vino che non si poteva bere. ______
7. Questo materiale si può riciclare. ______
8. Gli esercizi sono difficili, ma si possono fare. ______

INFOBOX

Chi sono i personaggi storici più cercati nel web?

Un'indagine della Cambridge University Press ha individuato, grazie a un particolare algoritmo, i personaggi storici più importanti secondo Internet. Primo e in posizione irraggiungibile è Gesù Cristo, seguito da Napoleone e Maometto. Per trovare personaggi legati in qualche modo alla storia italiana bisogna arrivare al 15° posto, dove c'è Giulio Cesare. Tra i primi trenta anche Cristoforo Colombo, Leonardo da Vinci e Augusto, mentre Galileo Galilei è al numero 49.

13

6 Aggettivi in *-bile*

Fai il cruciverba. Poi completa le frasi con le parole che hai trovato.

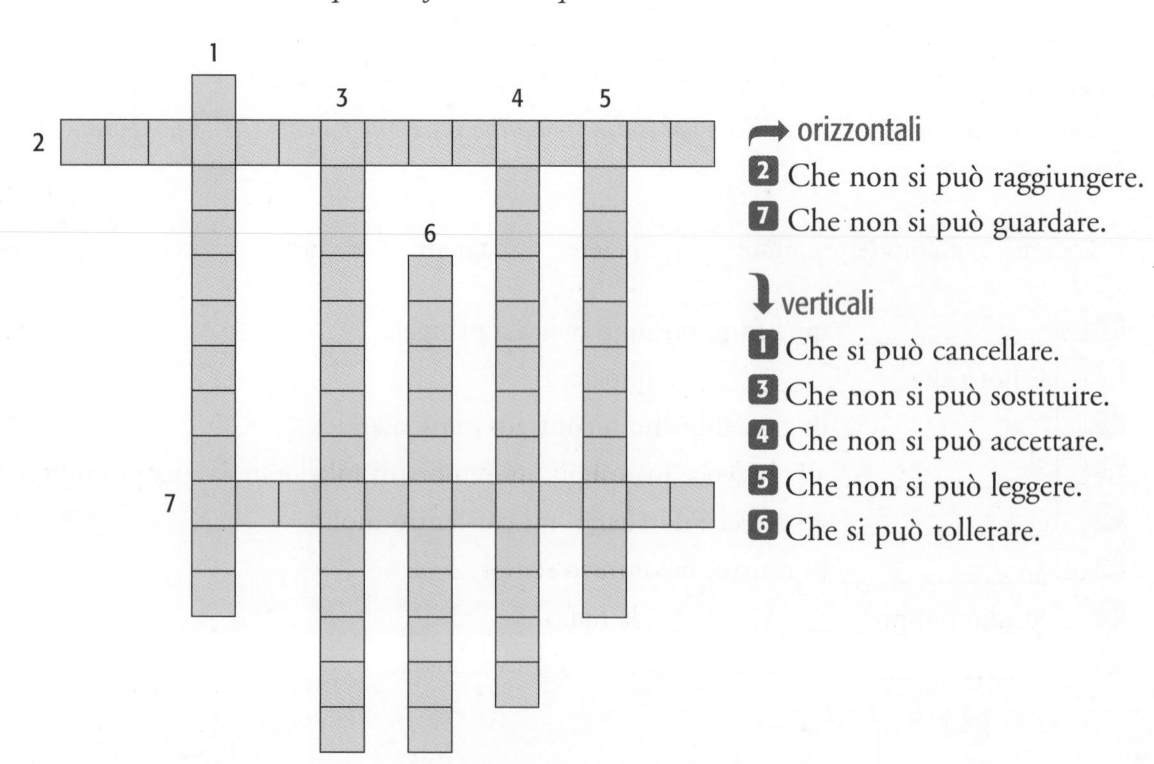

1. Daniela è bravissima, nel suo lavoro è diventata quasi ________________.
2. Come, hai caldo? A me invece questa temperatura mi sembra ancora ________________.
3. Non ti consiglio di andare a vedere quel film: molte scene di violenza, parolacce... Secondo me è ________________.
4. Ho sbagliato a compilare questo modulo... Per fortuna ho usato un inchiostro ________________ e posso correggere gli errori senza ricominciare da capo!
5. Non capisco come facciano i farmacisti a capire cosa scrivono i dottori nelle ricette: io trovo la loro scrittura ________________!
6. Lei era in macchina, io in bicicletta: siamo partiti nello stesso momento, ma ovviamente lei dopo pochi metri era già ________________.
7. Voleva che lavorassi per lui, ma mi ha fatto una proposta ________________. E infatti non ho accettato.

7 Terza persona plurale in funzione impersonale

Trasforma le frasi in impersonali plurali, introdotte da dicono che *e con il tempo opportuno del* congiuntivo, *come nell'esempio.*

La Divina Commedia è la più importante opera della letteratura italiana.
Dicono che *La Divina Commedia* sia la più importante opera della letteratura italiana.

1. Il *David* di Michelangelo è la più bella scultura dell'arte italiana.
   Dicono che ________________________________
2. Lucrezia Borgia uccideva i suoi nemici con un potente veleno.
   Dicono che ________________________________
3. Mussolini aveva un figlio segreto.
   Dicono che ________________________________
4. L'Italia ha una storia molto interessante.
   Dicono che ________________________________
5. Cleopatra, regina d'Egitto, era l'amante di Giulio Cesare.
   Dicono che ________________________________
6. A Leonardo da Vinci piaceva fare scherzi ai suoi amici.
   Dicono che ________________________________
7. Roma è stata fondata da Romolo e Remo.
   Dicono che ________________________________

8 Terza persona plurale in funzione impersonale

Completa le frasi con la forma impersonale alla terza persona plurale, come nell'esempio. Attenzione ai tempi / modi opportuni.

Ieri mi (*telefonare*) hanno telefonato dalla biblioteca, perché avevo dimenticato di restituire un libro.

1 Sono soddisfatto del mio nuovo posto perché mi (*trattare*) ________________ bene e mi (*pagare*) ____________ profumatamente.
2 In quella zona adesso non c'è niente, ma in futuro ci (*costruire*) __________________ il nuovo stadio.
3 Non sa ancora se ha vinto il concorso. Ma gli (*rispondere*) ________________ - così gli (*assicurare*) __________ _______________ - il più presto possibile.
4 Quando (*suonare*) _____________ alla porta, mia madre apre senza chiedere chi è.
5 Domani all'Odeon (*dare*) ________________ quel nuovo film su Marco Polo.
6 Quando mi (*dire*) __________________ che somiglio a Garibaldi, mi fa molto piacere.

13

9 Gerundio e pronomi

Completa le frasi con il gerundio *e il pronome adatto, come nell'esempio.*

Ho incontrato Viola e, (*vedere*) vedendola correre in quel modo, ho capito che era in ritardo.

1 Stamattina ho incontrato Rita che, (*vedere*) ___________________ dopo tanto tempo, mi ha salutato calorosamente.
2 Ieri pomeriggio Sandro stava cercando di risolvere un problema, ma (*fare*) _______________ ha capito che la matematica non era proprio la sua materia.
3 (*Ascoltare*) __________________ ho capito perché si è laureato con il massimo dei voti.
4 (*Rivedere*) ________________________ ho capito d'essere ancora innamorato di lei...
5 Ieri riguardavo i miei vecchi quaderni e (*riprendere*) ______________________ in mano mi è venuta una nostalgia!
6 (*Rileggere*) ______________________ mi sono accorto che la mia mail era piena di errori.
7 Puoi calmare Viviana, (*parlare*) ______________________ con più dolcezza.
8 (*Richiamare*) ____________________ ho voluto semplicemente farti capire che non ce l'avevo con te.

10 Gerundio e pronomi

Completa le frasi con i verbi al gerundio *seguiti dal pronome, come nell'esempio.*

bere | dare | dedicare | lamentarsi | rileggere | ~~ripensare~~ | sapere | svegliarsi

1. Ripensandoci, il problema non era poi così difficile!
2. Ha scritto una canzone bellissima, ______________________ alla figlia appena nata.
3. Per un anno ho lavorato a 50 chilometri da casa, ______________________ ogni mattina alle 5:30 per essere in ufficio puntuale.
4. Come, sei andato alla festa? ______________________, sarei venuto anch'io!
5. Ho letto questo libro da giovane e non mi era piaciuto. Ora, ______________________, l'ho trovato veramente interessante.
6. Mi ha salutato ______________________ del Lei: sicuramente mi ha confuso con mio padre.
7. Non voleva venire al concerto, poi però è venuto ______________________ in continuazione…!
8. Come posso descriverti il sapore del caffè? Lo puoi capire solo ____________________!

11 Lessico

Abbina i nomi dei personaggi storici ai termini che si riferiscono alla loro vita e spiega in poche parole il perché degli abbinamenti.

1. Lucrezia Borgia
2. Giulio Cesare
3. Adriano
4. Garibaldi
5. Galileo Galilei
6. Nerone
7. Cristoforo Colombo
8. Leonardo da Vinci

a. pace
b. America
c. eresia
d. veleno
e. congiura
f. spedizione
g. invenzioni
h. incendio

1. ________________ perché ________________________________
2. ________________ perché ________________________________
3. ________________ perché ________________________________
4. ________________ perché ________________________________
5. ________________ perché ________________________________
6. ________________ perché ________________________________
7. ________________ perché ________________________________
8. ________________ perché ________________________________

13

Italia da scoprire

1 Lessico

orizzontali

3 Amalfi e Sorrento sono due famosi _ _ _ della Campania.

4 Il Monte Bianco è la più alta _ _ _ italiana.

5 Quello di Garda è il più grande _ _ _ italiano.

8 La via Appia è una antica _ _ _ romana.

9 Il Chianti è famoso per le sue dolci _ _ _.

verticali

1 Il Po è il più lungo _ _ _ italiano.

2 La _ _ _ di Rimini è uno dei luoghi più turistici d'Italia.

6 A Venezia c'è il _ _ _ di Rialto.

7 L'Italia è bagnata da 3 _ _ _: Tirreno, Adriatico e Ionio.

2 Interrogativa indiretta

Riscrivi le domande alla forma indiretta, come nell'esempio.

Piero - "Scusa Laura, la tua macchina è in garage o dal meccanico?"
Piero chiede a Laura **se** la **sua** macchina **è / sia** in garage o dal meccanico."

1 Mamma - "Luca, quanti esercizi di italiano devi fare?"
La mamma chiede a Luca ______________________________.

2 Lucio - "Giulio, prendi un caffè?"
Lucio chiede a Giulio ______________________________.

3 Antonio - "Scusa Rita, sai dov'è il mio telefono?"
Antonio chiede a Rita ______________________________.

4 Luigi - "Allora Valerio, com'è il nuovo insegnante di storia?
Luigi chiede a Valerio ______________________________.

5 Luisa - "Johann, cosa mangiate in Germania per Natale?"
Luisa chiede a Johann ______________________________.

3 Interrogativa indiretta al passato

Ora trasforma al passato le frasi dell'esercizio precedente, come negli esempi.

Marta - "Paolo, a che ora finisci di studiare?"
Marta ha chiesto a Paolo a che ora finiva / finisse di studiare.

Piero - "Scusa Laura, la tua macchina è in garage o dal meccanico?"
Piero ha chiesto a Laura se la sua macchina era / fosse in garage o dal meccanico."

1. Mamma - "Luca, quanti esercizi di italiano devi fare?"
   La mamma ha chiesto a Luca ____________________.
2. Lucio - "Giulio, prendi un caffè?"
   Lucio ha chiesto a Giulio ____________________.
3. Antonio - "Scusa Rita, sai dov'è il mio telefono?"
   Antonio ha chiesto a Rita ____________________.
4. Luigi - "Allora Valerio, com'è il nuovo insegnante di storia?"
   Luigi ha chiesto a Valerio ____________________.
5. Luisa - "Johann, cosa mangiate in Germania per Natale?"
   Luisa ha chiesto a Johann ____________________.

14

4 Interrogativa indiretta

Riscrivi le domande alla forma diretta o indiretta e poi scegli la risposta giusta, come negli esempi.

Qual è il capoluogo della Liguria? ☐ Bologna ☒ Genova	Ieri ci siamo chiesti quale era / fosse il capoluogo della Liguria.
Come si chiamano gli abitanti della Puglia? ☒ Pugliesi ☐ Pugliani	Peter chiede come si chiamano / chiamino gli abitanti della Puglia.

1 Quanti abitanti ha Roma? ☐ Circa 3 milioni ☐ Circa 5 milioni	Un mio amico tedesco mi ha chiesto ____________________
2 Capri è un'isola? ☐ Sì ☐ No	Ieri mia figlia mi ha chiesto __________ ____________________
3 __________ l'Etna? ☐ Un lago della Lombardia ☐ Un vulcano della Sicilia	L'insegnante chiede alla classe cos'è / cosa sia l'Etna.
4 Come si chiama il fiume di Roma? ☐ Tevere ☐ Vesuvio	Quando ero piccolo mi chiedevo __________ ____________________

5 Il Piemonte ha il mare? ☐ Sì ☐ No	Uno studente ha chiesto all'insegnante ____ ________________________
6 ______________ gli abitanti della Sardegna? ☐ Sardesi ☐ Sardi	Su Internet qualcuno chiede come si chiamano / chiamino gli abitanti della Sardegna.

5 Cultura

Metti le parole, in base alle singole istruzioni, nell'esatta successione, come nell'esempio.

Dal più piccolo al più grande:

provincia [2] stato [4] comune [1] regione [3]

Da est a ovest:

Veneto ☐ Lombardia ☐ Piemonte ☐ Trentino ☐

Da nord a sud:

Toscana ☐ Calabria ☐ Lazio ☐ Abruzzo ☐

Dalla più grande alla più piccola:

Valle d'Aosta ☐ Emilia Romagna ☐ Molise ☐

Dal più al meno visitato:

Pantheon ☐ Colosseo ☐ Uffizi ☐

Dalla più alla meno popolata:

Torino ☐ Milano ☐ Venezia ☐

Dal più alto al più basso:

Monte Rosa ☐ Monte Bianco ☐ Etna ☐

6 Lessico

Completa la ricetta della bruschetta. Aiutati con i disegni.

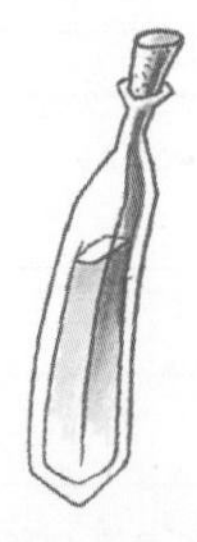

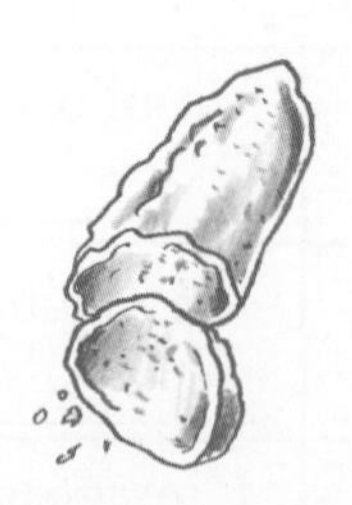

La bruschetta è un tipico antipasto della tradizione del Sud Italia. Per fare una buona bruschetta servono pochi ingredienti: delle fette di _______ caldo (possibilmente vecchio di qualche giorno), dell'_______ extravergine di oliva, del _______ e dell'_______. Molti preferiscono aggiungere anche dei _______ freschi.

7 Discorso indiretto

Trasforma le seguenti frasi in discorso indiretto.

1. "Mio figlio vuole riposare".
   Flavia ha detto che ________________________________.
2. "La grammatica è difficile".
   Mauro mi diceva sempre che ________________________________
3. "Carlo mi ha cercato".
   Sandra ha detto che Carlo ________________________________.
4. "Ho già studiato l'italiano".
   Colette ha detto che ________________________________.
5. "Mangia di meno"!
   Paolo mi ha detto ________________________________.
6. "Questa è la mia borsa."
   Anna ha detto che ________________________________.
7. "Ieri qui c'era molto vento."
   Luca ha detto ________________________________.
8. "Fate silenzio, per favore"!
   L'insegnante ha detto ai ragazzi ________________________________.
9. "Io ho cucinato la pasta e Roberto il pesce."
   Sonia mi ha detto che ________________________________.

14

8 Discorso indiretto

Riscrivi il testo alla forma diretta.

L'altro giorno ho visto Paola. Mi ha detto che era molto stanca perché il suo capo le ha chiesto di tradurre in francese un documento lunghissimo e per farlo le ha dato solo un giorno. Così ha dovuto lavorare anche la notte. Mi ha anche detto che vorrebbe cambiare lavoro perché non la pagano bene. Allora io le ho consigliato di spedire il suo curriculum alla ditta di mio marito perché stanno cercando una segretaria. Lei mi ha ringraziato.

■ Allora Paola, come va?

▼ ________________________________

____

____

■ ________________________________

▼ ________________________________

9 Discorso indiretto

Leggi la seguente telefonata fra il ricercato John Brusca ed un suo complice.

■ Pronto Al, sei solo?
▼ Sì, qui non c'è nessuno. Parla pure!
■ Quando devi incontrare quella persona di nostra conoscenza?
▼ Non lo so esattamente, penso di vederla fra due tre giorni.
■ Benissimo. Allora dille di aspettarti in quel posto alle 3 e poi dalle il pacco.
▼ Ma non dovevo darlo a Frank?
■ Sì, è vero, ma non era una buona idea. Fa' come ti dico.
▼ D'accordo, capo. Stai tranquillo.
■ Va bene, allora aspetto una tua telefonata. Ciao.
▼ Ciao.

Il telefono di John è sotto controllo. Un'ora dopo un poliziotto riferisce al Commissario il dialogo fra i due. Completa il suo racconto.

Allora, un'ora fa John ha telefonato ad Al e gli ha chiesto se __________ solo. Al gli ha risposto che ____ non ______________ nessuno e gli ha detto di _______________ senza problemi. Allora John gli ha chiesto quando ______________ incontrare quella persona di _____ conoscenza. L'amico ha risposto che ______________________ esattamente, ma che ______________ di vederla ________ due tre giorni. Allora John gli ha detto una cosa che non ho capito: gli ha ordinato _________________________ in quel posto alle 3 e poi ___________________ il pacco. Al, sorpreso, gli ha domandato _________________________ a Frank e l'altro ha risposto che in effetti ____________ vero, ma che non __________ una buona idea, e gli ha ordinato _____________________ ________________. Allora Al gli ha detto _______________________ tranquillo. John ha concluso dicendo che _________________ una ____ telefonata.
Lei, Commissario, ci ha capito qualcosa?

14

INFOBOX

I 10 luoghi più visitati: Roma è in testa

È noto che l'Italia è uno dei Paesi più visitati al mondo, grazie alle sue bellezze sia naturali che artistiche. Basti pensare che vanta un patrimonio di beni culturali stimato in un valore di 500 miliardi di €. Secondo il Ministero per i Beni e le Attività Culturali questi sono stati i luoghi più visitati lo scorso anno: Colosseo (Roma – visitatori 2.712.938), Scavi di Pompei (2.167.470), Pantheon (Roma – 1.679.900), Parco del Castello di Miramare (Trieste – 1.677.808), Galleria degli Uffizi e Galleria dell'Accademia (Firenze – 1.172.858), Giardino di Boboli (Firenze – 989.868), Reggia di Caserta (812.811), Musei di Castel Sant'Angelo (Roma – 611.515), Villa d'Este (Tivoli – 572.887).

10 Discorso indiretto

Leggi il dialogo fra Giulio Cesare e sua moglie Cornelia.

- ■ Ciao cara.
- ▼ Cesare! Sei tornato finalmente! Ma dov'eri? Mi lasci sempre sola… sei sempre in giro!
- ■ Ero in Gallia, a combattere.
- ▼ Ah, e stai bene? Raccontami tutto.
- ■ Sì, sì, sto bene, ma adesso sono stressato e non ho voglia di parlarne. Dimmi invece, cosa c'è di buono da mangiare stasera?
- ▼ Oh, una cenetta davvero speciale. Sai, ho invitato Pompeo e Crasso. Non ti dispiace, vero?
- ■ A dire il vero preferivo stare qui tranquillo solo con te e riposarmi, però…
- ▼ Dai, Cesare, sai benissimo che è importante tenere vive le amicizie, no?
- ■ Sì, ma sai, sono davvero stanco e anche preoccupato. Penso spesso a Bruto negli ultimi tempi. Quel ragazzo si comporta in modo un po' strano. Secondo me mi nasconde qualcosa…
- ▼ Ma, no, dai, adesso non pensare ai problemi, sta' tranquillo e va' a farti una bella doccia calda.

Scegli ora la forma corretta.

Cesare è entrato in casa e ha salutato la moglie. Cornelia era sorpresa di vederlo e gli ha chiesto dove ***sia / fosse*** e si è lamentata perché lui ***l'ha lasciata / la lasciava*** sempre sola e perché ***era / sia*** sempre in giro. Lui le ha spiegato che ***era / fosse*** in Gallia a combattere. Cornelia, allora, si è tranquillizzata e gli ha domandato se ***sta / stesse*** bene. Cesare ha risposto di sì, ma ha detto che ***era / è stato*** stressato e che non ***aveva / abbia*** voglia di parlare. Le ha chiesto poi ***che gli diceva / di dirgli*** cosa ***c'è / ci fosse*** di buono da mangiare per la ***sera / stasera***. Lei ha spiegato che la cena era davvero speciale, perché ***aveva invitato / invitasse*** Pompeo e Crasso, e ha chiesto al marito se la cosa gli ***dispiace / dispiacesse***. Lui ha risposto che, a dire il vero, ***avrebbe preferito / preferirebbe*** stare ***lì / qui*** tranquillo solo con ***lui / lei*** e ***riposarlo / riposarsi***, ma che però… Lei lo ha interrotto sostenendo che ***è stato / era*** molto importante tenere vive le amicizie. Ma Cesare ha detto che ***è / era*** davvero stanco e anche preoccupato, perché negli ultimi tempi ***ha pensato / pensava*** spesso a Bruto. Ha aggiunto che quel ragazzo ***si comporta / si comportava*** in modo un po' strano e che secondo ***gli / lui*** Bruto gli ***ha nascosto / nascondeva*** qualcosa. Ma Cornelia gli ha detto ***che non pensava / di non pensare*** ai problemi, ***che stai / di stare*** tranquillo e ***che andava / di andare*** a ***fargli / farsi*** una bella doccia calda.

11 Lessico

Metti al posto giusto le specialità della lista. Se le risposte saranno esatte, le lettere sottolineate daranno, lette in successione, un tipico prodotto dell'Umbria.

cannolo	carbonara	gianduiotto	grappa	mozzarella
panettone	pecorino	pesto	tortellini	vino Chianti

LOMBARDIA - Un dolce di Natale: ______________

CAMPANIA - Un formaggio fresco molto usato sulla pizza: ______________

SARDEGNA - Un formaggio dal gusto molto forte: ______________

LIGURIA - Una salsa verde a base di basilico che si usa per condire la pasta: ______________

PIEMONTE - Un cioccolatino a base di nocciola: ______________

LAZIO - Una tipica pasta con uovo, pancetta e pepe: ______________

SICILIA - Un dolce ripieno di ricotta e cioccolata: ______________

EMILIA ROMAGNA - Una pasta all'uovo ripiena di carne: ______________

TOSCANA - Un "rosso" che si beve con la carne: ______________

FRIULI VENEZIA GIULIA - Un alcolico molto forte: ______________

14

Soluzione: _ _ _ _ _' _ _ _ _ _

12 *Prima di/Prima che*

Completa con prima di *o* prima che *e con il verbo (all'infinito o al congiuntivo), come negli esempi.*

Pensaci bene (*parlare*) prima di parlare!

Devo andare al supermercato (*chiudere*) prima che chiuda.

1. (*Arrivare*) ______________ Letizia, dimmi cosa è successo tra voi due.
2. Dobbiamo tornare a casa (*fare*) ______________ buio.
3. Faccio sempre un po' di ginnastica (*andare*) ______________ a lavorare.
4. Mettete tutto in ordine, (*io - arrabbiarsi*) ______________ con voi.
5. Cerca di convincere Luca a studiare, (*essere*) ______________ troppo tardi.
6. (*Invecchiare*) ______________ voglio visitare tutti i 5 continenti.
7. Hai chiuso bene le finestre (*uscire*) ______________?
8. Voglio comprarmi dei nuovi vestiti (*finire*) ______________ i saldi.
9. (*Iniziare*) ______________ a piovere, comprati un ombrello.
10. Di solito a cosa pensi (*addormentarsi*) ______________?

13 Lettura

a. Completa con i verbi della lista al tempo giusto. Attenzione: in un caso devi usare la forma passiva.

dovere	essere	rovinare	vedere	volere

NURRA - Sassari - Sardegna
(*Io*) ____________ segnalare un posto che ricorda il rapporto primitivo tra l'uomo e il mare. Si tratta della Nurra, in provincia di Sassari. Luogo di bellezza incredibile e oggi incontaminato, amato da moltissimi uccelli migratori. Almeno fino a oggi perché quest'estate, poco prima di partire, ____________ degli strani movimenti: evidentemente stavano costruendo qualcosa, forse un resort. Penso che (*noi*) ____________ intervenire prima che ____________ troppo tardi, o quel posto meraviglioso ____________ irrimediabilmente!
Giovanni, Oristano

b. Completa con le preposizioni, semplici e articolate.

PONT - Valsavaranche - Valle d'Aosta
Vi segnalo la località Pont in alta Valsavaranche (AO). È un prato, dove finisce la strada, delimitato ____ un parcheggio e ____ un piccolo albergo. ____ mesi caldi il prato è un campeggio piccolo e ordinato. C'è solo gente amante ____ montagna, silenziosa, motivata e rispettosa. ____ primavera ____ parcheggio ci sono solo gli stambecchi e le volpi vengono ____ porta ____ camper a chiedere cibo. ____ notte c'è solo il rumore ____ torrente. È il posto più bello ____ mondo.
Gianni

c. Completa con le espressioni della lista.

almeno	anche	ma	quando	subito

MULES - Bolzano - Trentino Alto Adige
Sono stata a Mules in estate con mio marito e nostra figlia Simona, di 14 anni: __________ siamo arrivati in questo piccolo paese nella Valle d'Isarco, immerso nel verde e nella quiete della natura, siamo __________ rimasti affascinati dal paesaggio e dalle meraviglie di questa località lontana dalla frenesia del mondo, __________ che offre moltissime cose da fare e da vedere. Un vero e proprio paradiso che consiglio a tutti di visitare __________ una volta nella vita! __________ perché, con il tunnel ferroviario del Brennero che stanno costruendo, temo che questo paradiso possa scomparire.
a.b.

14 Ricapitoliamo

Cerca di ricordare tutte le informazioni sull'Italia che hai imparato in questa lezione, e prepara un quiz per i tuoi compagni.

l'italiano oggi

1 Ortografia

Trova i sette errori in questo dialogo.

■ Ciao Chiara, ti va domani di uscire con Serena e un'amico?
▼ Mi piacerebbe, ma pultroppo non ho la macchina.
■ Eh, neanche io veramente. Ci da un passaggio questo mio amico, Paolo.
▼ E qual'è il programma della serata?
■ Credo che Serena vuole andare al cinema.
▼ Senti, lo posso dire anche a Francesca?
■ Ma certo, digli che non c'è problema!
▼ Bene, sono propio contenta! Allora… ci sentiamo domani.
■ Certo, a domani.
▼ Ciao!

2 Combinazioni

15

Combina le frasi di sinistra con quelle di destra.

1 Non posso aspettare tanto! La macchina
2 Ricordate. Gli esercizi
3 Non sapeva che il biglietto
4 Penso che la traduzione
5 Secondo me i vestiti
6 Credo che la Sicilia
7 Penso che Sandro
8 Ricordi che la medicina

a vanno fatti per dopodomani.
b andrebbero comprati durante i saldi.
c va presa dopo i pasti.
d vada visitato subito da un medico.
e vada fatta per lunedì.
f andrebbe riparata il più presto possibile.
g vada visitata in primavera o in autunno.
h andava timbrato prima della partenza?

INFOBOX

Il plurale delle parole straniere
Quando una parola straniera entra nella lingua italiana (computer, mouse, tsunami), non si usano le regole grammaticali della lingua originale. Ad esempio, se scriviamo computers o films commettiamo degli errori perché la s al plurale è una regola dell'inglese e non dell'italiano. Queste parole al plurale di solito mantengono la stessa forma del singolare.

3 La forma passiva con *andare*

Sottolinea tutti i passivi. Sostituisci poi la forma con essere *o* venire *con la corrispondente forma di* andare, *come nell'esempio. Attenzione: la trasformazione non è possibile in tutte le frasi!*

Il compito deve essere fatto per domani. → Il compito va fatto per domani.

Consigli per gli scolari:
ricordate che bisogna porsi degli obiettivi chiari e realistici. Che più ascolterete meglio parlerete. Che è bene leggere testi in cui la lingua viene usata in maniera naturale (giornali, radio, TV).
Che i vocaboli devono essere studiati a piccole dosi e sempre con l'articolo. Che deve essere seguito il proprio ritmo personale. Che non ogni singola parola deve essere capita. Che a volte devono essere memorizzate frasi intere, almeno quelle che pensate vi serviranno più spesso. Che gli esercizi scritti sono molto importanti e che quindi devono essere fatti tutti quelli che vengono assegnati dal professore. È chiaro quindi che non devono essere copiati da un compagno il pomeriggio prima o durante una pausa a scuola!
Che non dovete avere paura né di fare errori né delle novità. Ricordate infine che i vostri insegnanti hanno una lunga esperienza e che quindi i loro consigli dovrebbero essere seguiti se non altro per questo (a parte il fatto che i voti devono essere dati e quindi...).

____

____

____

____

____

15

4 L'ironia

Leggi il dialogo e sottolinea le frasi ironiche.

■ E poi cos'è un errore? Se dico... che ne so... "Ieri, se non pioveva, andavo a giocare a calcetto"... io lo so che non è la forma più elegante, ma se parlo con i miei amici non posso mica dire "Ieri, se non avesse piovuto, sarei andato a giocare a calcetto". Mi ridono in faccia!

▼ Quello non è proprio un errore, ma se uno mi dice, come ha detto quello, "se le direi..." eh no... "Se le direi" no! Ti attacco il telefono in faccia, mi dispiace!

■ Va be'... senti... se fossimo andati a fare la spesa, avremmo potuto cucinare qualcosa, ma purtroppo il nostro frigorifero è vuoto... che si fa?

▼ Andiamo a farci una pizza, dai.

■ Farci una pizza??? Ma come parli? Mi si abbassa la libido eh?!

▼ Scemo!

■ Forse se avessi detto "Potremmo andare al ristorante a mangiare una pizza", saresti sembrata più sexy...

▼ E dai!

5 Periodo ipotetico

Abbina le frasi di sinistra con quelle di destra.

1 Se ci fossero stati ancora posti liberi,
2 Se Simone l'avesse invitata,
3 Se le avessero dato delle indicazioni più precise,
4 Se allora avessero accettato quel posto,
5 Se avessimo imparato l'italiano da bambini,
6 Se Einstein non avesse studiato fisica,
7 Se fosse rientrato a un'ora decente,
8 Se avessi bevuto di meno,

a sua madre non si sarebbe arrabbiata.
b non ti saresti alzata con il mal di testa.
c non avrebbe vinto il Nobel.
d di certo avremmo comprato il biglietto.
e avrebbero avuto una vita più facile.
f non avremmo avuto tutte queste difficoltà.
g Claudia avrebbe accettato con piacere.
h forse non si sarebbe persa.

6 Periodo ipotetico

Davide Dondio vuole scrivere una lettera di ringraziamento a un'associazione di Milano che promuove gli scambi culturali e ha preso alcuni appunti. Aiutalo a completare la lettera come negli esempi. I verbi sono in ordine.

~~capitare~~ ~~leggere~~ sapere decidere prendere essere vivere conoscere andare imparare venire a contatto fare frequentare innamorarsi

15

e-mail: info@becasse.it
school.program@becasse.it

Chicago, 11 dicembre

Care Sandra e Ilaria,
vi scrivo per ringraziarvi.
Se anni fa non mi _fosse capitato_ fra le mani un opuscolo della BEC, non _avrei_ mai _letto_ il vostro programma, non ________ dell'esistenza di questo tipo di associazioni e non ________ di trascorrere un anno negli USA.
Se non ________ questa decisione, forse non ________ mai ________ nel Kansas, non ________ lì e non ________ quella splendida famiglia di Marc e Audrey Mac Kinley che mi hanno ospitato come un figlio.
Se non ________ in America non ________ l'inglese, non ________ con un'altra cultura e nuovi costumi e non ________ la maturità americana. Se non ________ la scuola a Topeka, non ________ di Mary, la mia attuale moglie, e oggi non sarei padre felice del mio terzo bambino.
Grazie e auguri di buon lavoro!
Davide Dondio

7 Periodo ipotetico

Prosegui la catena, come nell'esempio.

da giovane Luca – studiare di più/non essere bocciato/proseguire gli studi, prendere un diploma e poi una laurea/ottenere un posto di lavoro più interessante e guadagnare di più/poter lavorare di meno e avere più tempo libero/poter riprendere a studiare

Se da giovane Luca avesse studiato di più, non sarebbe stato bocciato*.

Se non fosse stato bocciato ____

____

____

____.

* essere bocciati = non passare/non essere ammessi alla classe successiva, dover ripetere l'anno scolastico

8 Lessico

Completa le frasi con le espressioni della lista.

finalmente	in buona parte	in certi casi	per fortuna	solo	specie

15

1. Quando si scrive un messaggio o su un Social Network, gli errori possono capitare, ____________ se si scrive con una tastiera piccola.
2. Se l'italiano è la lingua di tutti gli italiani, il merito è ____________ della televisione.
3. Molti dicono che l'italiano stia morendo, ma ____________ non è vero.
4. Tutte le lingue si modificano con il tempo, ____________ le lingue morte non cambiano.
5. Gli italiani a volte non imparano bene le regole di base della loro lingua, ma ____________ le disimparano o le trascurano.
6. Nella seconda metà del Novecento, l'italiano è diventato ____________ la lingua parlata da tutti gli italiani.

INFOBOX

La parola più lunga della lingua italiana

Secondo il *Dizionario Garzanti della lingua italiana* la parola più lunga nel linguaggio non scientifico è *precipitevolissimevolmente*: ha 26 lettere, è il superlativo di *precipitevolmente*, a sua volta avverbio di *precipitevole*. Utilizzata in modo scherzoso, significa "con fretta eccessiva".

9 Gerundio passato

Completa le frasi con i seguenti verbi al gerundio passato, *come nell'esempio.*

arrivare | prevedere | sapere | seguire | spendere | ~~vedere~~

1. Avendo visto che Luisa ritardava, sono uscito da solo.
2. ______ ______ del suo trasferimento, gli ha chiesto il nuovo indirizzo.
3. ______ ______ che stava per piovere, ho preso l'ombrello.
4. ______ ______ troppo tardi, non hanno trovato posti liberi.
5. ______ ______ il tuo consiglio, ho fatto proprio un bel lavoro.
6. ______ ______ troppo il mese scorso, adesso dobbiamo risparmiare.

10 Gerundio presente e passato

Sostituisci le frasi causali usando il gerundio presente *o* passato, *come nell'esempio.*

Visto che ha studiato molto, adesso ha solo voglia di riposarsi.
Avendo studiato molto, adesso ha solo voglia di riposarsi.

Visto che era molto stanco, ha deciso di restare a casa.
Essendo molto stanco, ha deciso di restare a casa.

1. Visto che si è diplomata con una votazione molto alta, ha trovato subito un posto.
______.
2. Siccome non ero bravo in matematica, dovevo concentrarmi più degli altri.
______.
3. Siccome non aveva mai avuto il coraggio di mettersi in proprio, ha continuato a lavorare come dipendente.
______.
4. Poiché ieri ho lavorato troppo, oggi sono stressato.
______.
5. Siccome conosce molto bene l'inglese, non avrà difficoltà a trovare un lavoro.
______.
6. Visto che aveva deciso di passare una settimana in montagna, si è comprato un paio di sci.
______.

11 *Dopo* + infinito passato

Forma delle frasi.

	andata dal medico,	è tornato nel suo Paese.
	seguito i tuoi consigli,	mi sono accorta che era riciclato.
	telefonato ad Arianna,	ne ha discusso con gli amici.
Dopo aver	letto la notizia,	è uscito.
Dopo esser	visitato Venezia,	mi sono messa a dieta.
	stati al cinema,	sono migliorato molto.
	ricevuto il regalo,	ha chiamato Sara.
	ringraziato dell'invito,	sono andati a bere qualcosa insieme.

12 *Dopo* + infinito passato

Trasforma le frasi secondo il modello.

Sono stata al cinema e poi sono andata in discoteca. → Dopo essere stata al cinema, sono andata in discoteca.

1. Ho bevuto qualcosa al bar e poi sono andato al lavoro. ______________________.
2. Hanno controllato bene le valigie e poi sono partite. ______________________.
3. Mi informerò sul prezzo del biglietto e solo dopo prenoterò. ______________________.
4. Si sono comprati un nuovo paio di sci e poi sono partiti per la settimana bianca. ______________________.
5. Ha provato a curarsi da solo, ma dopo ha chiamato il medico. ______________________.
6. Abbiamo finito gli esercizi e poi siamo usciti. ______________________.
7. Ci siamo riposati un po' e poi abbiamo ripreso il lavoro. ______________________.

test 4

TOTALE __/100

1 Lettura | Risposta multipla

__/10

*Leggi il testo, osserva le parole in **grassetto** e rispondi alle domande che seguono.*

TREKKING.it
vivere, scoprire e viaggiare

HOME NEWS ITINERARI REPORTAGE I CONSIGLI SALUTE ABBIGLIAMENTO STORE OSPITALITÀ LABORATORI

In un'epoca come la nostra, segnata dalle tecnologie, dai voli low cost e dal turismo di massa, sempre più persone scelgono di viaggiare a un ritmo più lento, alla ricerca non di semplici immagini da condividere sui social network, ma di emozioni diverse, più interiori e personali.
Uno degli **itinerari** più adatti per un'esperienza di questo tipo in Italia è percorrere una parte della Via Francigena. Che cos'è la Via Francigena? È il percorso da Canterbury fino a Roma descritto nell'anno 990 da Sigerico, in quel periodo Arcivescovo di Canterbury. L'intero percorso ha una lunghezza di 1.800 chilometri e prevede 79 **tappe**, di cui 45 sono in Italia. I più coraggiosi e sportivi possono attraversare il Colle del Gran San Bernardo, porta di accesso alle Alpi italiane, e arrivare a Pavia, antica capitale del Regno longobardo, proseguire per Piacenza e superare l'Appennino Tosco-Emiliano per poi prendere la direzione della costa e infine continuare lungo la Via Aurelia fino a Roma.
Ma naturalmente è possibile anche scegliere un itinerario molto più breve, anche di qualche decina di chilometri: si tratterà comunque di un'esperienza speciale e lontana dai soliti itinerari turistici. Le tappe italiane dell'antica strada **medievale** permettono di conoscere, oltre a città turisticamente molto note, anche paesi di provincia e piccoli borghi che in Italia hanno avuto e continuano ad avere una grande importanza storica e culturale. Attraversare la via Francigena (a piedi o in bicicletta) è infatti un viaggio non solo nello spazio, ma anche nel tempo, tra cattedrali rinascimentali e piccoli monasteri romanici, grandi siti archeologici o semplici **rovine** che raccontano di un passato glorioso.
Lungo il percorso della Via Francigena sono disponibili strutture di accoglienza a basso costo per chi viaggia come "**pellegrino**", quindi con scopi spirituali, e strutture più generiche per turisti (alberghi, B&B, agriturismo, ecc.). Per tutti, in ogni modo, la Via Francigena rappresenterà un'esperienza indimenticabile e sicuramente utile per conoscere un'Italia poco conosciuta, ma forse più autentica.

1 La parola 'itinerario' significa:
- **a** un'app digitale per non perdere la strada.
- **b** il percorso di un viaggio.

2 La parola 'tappa' significa:
- **a** un percorso da percorrere tra due soste.
- **b** antico monumento presente in Italia.

3 Si parla di 'strada medievale' perché:
- **a** attraversa mezza Italia (dalle Alpi a Roma).
- **b** ha origine in un preciso periodo storico.

4 La parola 'rovina' nel testo significa:
- **a** quello che rimane di un'antica costruzione.
- **b** una guida per trovare siti archeologici.

5 Chi è un 'pellegrino'?
- **a** Chi viaggia per amore della musica.
- **b** Chi viaggia con uno scopo spirituale.

2 Lettura | Affermazioni presenti

__/5

Individua le affermazioni presenti nel testo.

1. La Via Francigena era conosciuta anche nell'Antica Roma. ☐
2. Il primo a descrivere la Via Francigena è stato un vescovo. ☐
3. Si può percorrere la Via Francigena anche in auto. ☐
4. La Via Francigena è adatta soprattutto a famiglie con bambini. ☐
5. Lungo la Via Francigena ci sono luoghi di ristoro dove si può mangiare e dormire. ☐

3 Ascolto | Vero o falso

42 __/10

Ascolta il dialogo tra Elena e Luciano. Indica se le affermazioni sono vere o false.

	vero	falso
1 Luciano e la famiglia non sono andati all'estero per le vacanze.	☐	☐
2 A "Italia in miniatura" ci sono i modelli di molti monumenti italiani.	☐	☐
3 Per Luciano è stata la prima visita a "Italia in miniatura".	☐	☐
4 "Italia in miniatura" è a Venezia.	☐	☐
5 Luciano e Elena vivono a Bologna.	☐	☐

4

4 Ascolto | Completamento

__/10

Inserisci le parole della lista nel dialogo.

gondola | monumenti | moltissimo | stivale | modelli | bambini | Alpi | percorso | famosi | straniere

▼ Pensa che ci sono più di 250 ______________ dei ______________ italiani più ______________, e anche alcune città ______________.

■ Ma come ti muovi tra le città?

▼ C'è un ______________ che attraversa tutto lo spazio, che è forma di ______________, proprio come l'Italia, appunto. Ma puoi salire sulle ______________, e addirittura puoi attraversare Venezia in ______________...!

■ Incredibile! I ______________ si saranno divertiti ______________.

5 Ascolto | Abbinamento

__/5

Completa le frasi con gli abbinamenti corretti.

a. Sandro mi aveva detto che
b. Sai che
c. Tutti mi dicono che
d. Non pensavo però che
e. Mi sa proprio che

1. sia molto interessante.
2. ci fossero tante iniziative.
3. sareste restati fuori città fino al 2 settembre.
4. ci andremo anche noi.
5. non ci sono mai stata?

6 Condizionale passato come futuro nel passato

(___ /20)

Completa la lettera coniugando i verbi al condizionale passato.

Carissimo Giulio,
perdona questa lettera, ma adesso sono veramente arrabbiata! A Natale mi avevi promesso che mi (*portare*) 1. _______________ a sciare. E niente! Poi che (*andare*) 2. _______________ insieme a Firenze per una settimana. E improvvisamente è saltato fuori quel tuo impegno! Mi avevi pure detto che alla fine di gennaio mi (*accompagnare*) 3. _______________ a Bologna per i saldi e che nell'occasione noi (*visitare*) 4. _______________ la città. Io aspetto ancora i saldi! Adesso è il giorno di San Valentino. L'anno scorso avevi giurato che il 14 febbraio ci (*sposare*) 5. _______________. E poi hai tirato fuori la scusa del tuo trasferimento. E pazienza. Però due settimane fa mi avevi promesso anche che oggi mi (*regalare*) 6. _______________ uno splendido mazzo di rose. E almeno questa volta io pensavo davvero che tu non te ne (*dimenticare*) 7. _______________. Ma non sono arrivati né i fiori né gli auguri.
Sai che ti dico? Se non sei capace di mantenere le promesse che fai, è meglio che tu smetta di farne!!
Tua Francesca
P.S.: Mi avevi pure detto che tu (*cambiare*) 8. _______________, che (*diventare*) 9. _______________ più attento e sensibile… Sono stata forse così stupida da risponderti che un giorno o l'altro ti (*credere*) 10. _______________?

7 Discorso indiretto e interrogativa indiretta

(___ /10)

Completa le frasi al discorso indiretto o all'interrogativa indiretta selezionando l'opzione corretta.

Discorso diretto / Interrogativa diretta		Discorso indiretto / Interrogativa indiretta
1 Michele: "Uscite con noi stasera!"	→	Michele ci ha detto **di uscire / se uscire** con loro stasera.
2 Turista: "Quella è Piazza del Carmine?"	→	Il turista ci ha chiesto se quella **fosse / sia** piazza del Carmine.
3 Linda e Andrea: "Nostro figlio si sposa a luglio!"	→	Linda e Andrea ci hanno detto che **nostro / il loro** figlio di sposa a luglio.
4 Mauro: "Dove sei nato?"	→	Mauro mi ha chiesto dove **fossi nato / sia nato.**
5 Fabrizio: "Voglio andare in vacanza in Puglia"	→	Fabrizio ha detto che **ha voluto / voleva** andare in vacanza in Puglia.

4

8 *Prima di / Prima che* (___/10)

Completa le frasi con di *o* che *e il verbo coniugato al congiuntivo oppure all'infinito.*

1. Devo comprare i biglietti per il concerto prima *(finire)* ________. Ne sono rimasti pochissimi!
2. Dobbiamo andarcene prima *(cominciare)* ________ a piovere.
3. Prima *(andare)* ________ a vivere da sola, devo trovare un lavoro.
4. Dobbiamo finire la relazione prima *(tornare)* ________ il capoufficio.
5. Prima *(sposarsi)* ________, Maurizio e Valentina sono stati insieme per dieci anni.

9 Forma passiva con *andare* (___/10)

Trasforma le frasi passive con essere *o* venire *in passive con la forma di* andare, *come nell'esempio.*

Il lavoro deve essere finito entro oggi. → Il lavoro va finito entro oggi.

1. In Italia il cappuccino non deve essere ordinato dopo pranzo. →
____
2. In Italia gli alcolici non possono essere venduti nelle ore notturne. →
____
3. In Italia l'insalata è considerata un contorno e non deve essere chiesta come antipasto. →
____
4. In Italia due diversi tipi di affettati non vengono mai messi nello stesso panino. →
____
5. Il Parmigiano non viene messo su piatti a base di pesce. →
____

10 Periodo ipotetico (___/10)

Completa coniugando i verbi tra parentesi al modo e al tempo corretto.

1. Se tu (*essere*) ____________ un libro, che libro (*volere*) ____________ essere?
2. Se non mi (*voi - telefonare*) ____________, non (*io - svegliarsi*) ____________ in tempo e (*perdere*) ____________ il treno! È stata proprio una fortuna!
3. Ma certo che ti (*invitare*) ____________, se (*sapere*) ____________ che eri tornato già da ieri! Ma io pensavo che tu fossi ancora in vacanza!
4. L'appuntamento è saltato? E me lo dici solo adesso? Se lo (*io - sapere*) ____________ prima, non (*fare*) ____________ tutta questa strada...!
5. E se non (*succedere*) ____________ niente? Lo so, è impossibile, ma a volte vorrei tanto poter tornare indietro.

4

SOLUZIONI DEI TEST

TEST 1

1 Lettura
V: 1, 3, 5; F: 2, 4

2 Contrari
1 peggiore, 2 malissimo, 3 male, 4 meglio, 5 pessimo

3 Ascolto | Vero o falso
V: 3, 4, 5, 7, 10; F: 1, 2, 6, 8, 9

4 Ascolto | Abbinamento
a.3; b.5; c.4; d.1; e.2

5 Passato prossimo e imperfetto
1 ci ho messo, 2 sono andata, 3 Ho passato, 4 mi alzavo, 5 facevo, 6 scrivevo, 7 ho finito, 8 ho chiamato, 9 sono venuti, 10 abbiamo fatto

6 Pronomi relativi
1 in cui, 2 che, 3 che, 4 per cui, 5 di cui

7 Imperativo formale (Lei)
1 Faccia, 2 guardi, 3 Mangi, 4 Abbia, 5 Legga, 6 dica, 7 Dorma, 8 Tenga, 9 dimentichi, 10 Smetta

8 Plurali irregolari
1 le ginocchia, 2 i piedi, 3 il braccio, 4 le mani, 5 le gambe

9 Pronomi
1/e (Le), 2/c (lo), 3/b (gli), 4/a (La), 5/d (Le)

10 *Stare* + gerundio o *stare per* + infinito
1 Sta comprando; 2 Sta per comprare

11 Il passato prossimo dei verbi modali
1 è voluta, 2 ha voluto, 3 ho potuto, 4 ho dovuto, 5 sono dovuto / sono dovuta

TEST 2

1 Lettura | Risposta multipla
1b; 2b; 3a; 4b

2 Lettura | Vero o falso
V: 2, 5; F:1, 3, 4

3 Ascolto
V: 1, 2, 5, 7, 8, 9; F: 3, 4, 6, 10

4 Congiuntivo presente
1 sia, 2 dorma, 3 curi, 4 vada, 5 vengano, 6 facciate, 7 studi, 8 vogliano, 9 esca, 10 arrivino

5 Trapassato prossimo
aveva ritirato, si era dimenticata, aveva letto, aveva passato, era andata

6 Trapassato prossimo e passato prossimo
hai imparato, avevi fatto, sono arrivato, avevo fatto, ho studiato

7 Prima di
1 Prima di venire, faccio una telefonata. 2 Prima di andare a ballare, mi faccio una doccia. 3 Prima di andare al cinema, ceniamo. 4 Prima di fare la gara, ci siamo allenate molto. 5 Prima di metterti a lavorare, hai preso il caffè.

8 Pronomi combinati
1 Ce le, 2 ve li, 3 te la, 4 glieli, 5 me lo

9 Condizionale passato
1 sarei andato/sarei andata, 2 avrebbe preferito, 3 avrei mangiato, 4 Avrei voluto, 6 sarei rimasto/ sarei rimasta

10 I verbi pronominali
1 ci tiene, 2 La pianti, 3 ci vuole, 4 se n'è andata, 5 La finisci

TEST 3

1 Lettura
9 - 3 - 11 - 5 - 1 - 7 - 10 - 8 - 4 - 2 - 6

2 Ascolto | Vero o falso
V: 5, 7, 8, 9; F: 1, 2, 3, 4, 6, 10

3 Ascolto | Risposta multipla
1b; 2a; 3b; 4b

4 Avverbi in *-mente*
1 felicemente, 2 sicuramente, 3 veramente, 4 chiaramente, 5 probabilmente

5 Congiuntivo imperfetto
1 stessero, 2 arrivassi, 3 fosse, 4 costasse, 5 parlasse, 6 lavoraste, 7 avessi, 8 avesssero, 9 dicessi, 10 spendeste

6 Discorso indiretto
1 giovedì verrà a casa mia per organizzare il viaggio in Australia, 2 lei e Giacomo si sono sposati anche se i suoi genitori erano contrari, 3 Silvana le ha inviato una mail, ma lei non l'ha ancora letta, 4 per Capodanno andiamo tutti a cena da lui, 5 sua figlia gli somiglia molto fisicamente, ma il carattere è quello di sua moglie

7 Concordanza dei tempi
1 venga, 2 ci fossero, 3 fosse, 4 arrivi, 5 venisse

8 Forma passiva
1 "Il deserto dei Tartari" è stato scritto da Dino Buzzati negli anni '30. 2 Molti libri di autori sudamericani sono pubblicati da questa casa editrice. - Molti libri di autori sudamericani vengono pubblicati da questa casa editrice.
3 Dicono che quest'anno il Premio Strega sarà assegnato a un autore esordiente. - Dicono che quest'anno il Premio Strega verrà assegnato a un autore esordiente.
4 Un libro dello scrittore francese Queneau è stato tradotto in italiano da Italo Calvino.
5 Il suo nuovo romanzo sarà pubblicato da Einaudi. - Il suo nuovo romanzo verrà pubblicato da Einaudi.

9 *Sebbene, anche se*
1 Sebbene fossero sposati, non volevano figli.
2 Sebbene non ti piaccia la matematica, devi studiarla lo stesso. 3 Sebbene facesse freddo, è uscita senza sciarpa. 4 Sebbene abbia sonno, non voglio andare a dormire. 5 Sebbene non avessimo fame, abbiamo mangiato una pizza.

10 Lessico
1 media, 2 natalità, 3 aumento, 4 abbassare, 5 contraccezione, 6 migrazione, 7 metropoli, 8 frequentare, 9 popolazione, 10 ultrasessantenni

TEST 4

1 Lettura | Risposta multipla
1b, 2a, 3b, 4a, 5b

2 Lettura | Affermazioni presenti
2, 5

3 Ascolto | Vero o falso
V: 2, 5; F: 1, 3, 4

4 Ascolto | Completamento
modelli, monumenti, famosi, straniere, percorso, stivale, Alpi, gondola, bambini, moltissimo

5 Ascolto | Abbinamento
a.3; b.5; c.1; d.2; e.4

6 Condizionale composto come futuro nel passato
1 avresti portata, 2 saremmo andati, 3 avresti accompagnata, 4 avremmo visitato, 5 saremmo sposati, 6 avresti regalato, 7 saresti dimenticato, 8 saresti cambiato, 9 saresti diventato, 10 avrei creduto

7 Discorso indiretto e interrogativa indiretta
1 di uscire, 2 fosse, 3 il loro, 4 fossi nato, 5 voleva

8 *Prima di / Prima che*
1 che finiscano, 2 che cominci, 3 di andare, 4 che torni, 5 di sposarsi

9 Forma passiva con *andare*
1 In Italia il cappuccino non va ordinato dopo pranzo. 2 In Italia gli alcolici non vanno venduti nelle ore notturne. 3 In Italia l'insalata è considerata un contorno e non va chiesta come antipasto. 4 In Italia due diversi tipi di affettati non vanno mai messi nello stesso panino.
5 Il Parmigiano non va messo su piatti a base di pesce.

10 Periodo ipotetico
1 fossi, vorresti; 2 aveste telefonato, mi sarei svegliato/mi sarei svegliata, avrei perso; 3 avrei invitato, avessi saputo; 4 avessi saputo, avrei fatto; 5 fosse successo

Grammar section

1 Sostantivi – Nouns

1.1 Nomi con plurale irregolare – Nouns with irregular plurals

Some names present an irregular plural and even a gender change when in the plural form.

body parts		other names	
singular	plural	singular	plural
il braccio (m)	le braccia (f)	il paio (m)	le paia (f)
il dito (m)	le dita (f)	l'uovo (m)	le uova (f)
il ginocchio (m)	le ginocchia (f)	il centinaio (m)	le centinaia (f)
il labbro (m)	le labbra (f)	il migliaio (m)	le migliaia (f)
l'orecchio (m)	le orecchie (f)	l'uomo (m)	gli uomini (m)
la mano (f)	le mani (f)		

1.2 Nomi in *-tore* e *-ista* – Nouns ending in *-tore* and *-ista*

The femenine version of nouns in ***-tore*** *ends in* ***-trice:*** **calciatore → calciatrice, scrittore → scrittrice.**

An exception in this rule is the noun ***dottore:*** **dottore → dottoressa.**

Nouns ending in ***-ista*** *do not inflect for gender:* **il tennista → la tennista.**

G

1.3 Alterati - Nouns alteration

The suffix ***-ino*** *is used while referring to something small:*	**gatto**	→	**gattino**	(un piccolo gatto)
The suffix ***-one*** *is used while referring to something big:*	**gatto**	→	**gattone**	(un gatto grande)
The suffix ***-accio*** *is used while referring to something ugly:*	**parola**	→	**parolaccia**	(brutta parola)

2 Aggettivi – Adjectives

2.1 L'aggettivo *bello* – The adjective *bello*

When the adjective ***bello*** *precedes a noun, it works as a definite article.*

bel ragazzo	**bei** ragazzi
bell'uomo	**begli** uomini
bello spettacolo	**begli** spettacoli
bella ragazza	**belle** ragazze
bell'isola	**belle** isole

2.2 Il comparativo – The comparative

The ***comparativo di maggioranza (+) o di minoranza (-)*** *is formed with* ***più/meno*** *+ adjective.*
If the second entity being compared is a noun or a pronoun, it will be introduced by ***di:*** **Marco è più magro di Bruno;** **Anna è più alta di me.**
If the second entity being compared is a verb, an adjective, a preposition or an adverb, it will be introduced by ***che:*** **Fa più freddo dentro che fuori.;** **Preferisco nuotare che correre.;** **Questo edificio è più bello che utile.**
The ***comparativo di uguaglianza,*** *is formed with* ***come*** *o* ***quanto*** *(****come*** *is more common):* **Flavia è alta come me., Carlo è bravo quanto te.**

2.3 Comparativi e superlativi particolari - Irregular comparative and superlative forms

Some adjectives have two forms of comparative and superlative: one is regular and the other irregular.

	comparative	relative superlative	absolute superlative
buono	migliore / più buono	il migliore / il più buono	ottimo / buonissimo
cattivo	peggiore / più cattivo	il peggiore / il più cattivo	pessimo / cattivissimo
grande	maggiore / più grande	il maggiore / il più grande	massimo / grandissimo
piccolo	minore / più piccolo	il minore / il più piccolo	minimo / piccolissimo

2.4 Il prefisso negativo *in-* – The negative prefix *in-*

The prefix ***in-*** *confers a negative meaning to the adjective:* **capace → incapace (non capace)**; **utile → inutile.**

The prefix ***in-*** *becomes* ***il-*** *before an L* **(illogico)**, ***im-*** *before a B* **(imbevibile)**, *M* **(immorale)** *or P* **(imprevisto)**, *and* ***ir-*** *before an R* **(irrazionale)**.

2.5 Gli aggettivi in *-bile* – Adjectives ending in *-bile*

Adjectives ending in ***-bile*** *have a passive meaning and express a possibility:* **realizzabile** *(che può essere realizzato)*, **fattibile** *(che può essere fatto)*, **riciclabile** *(che può essere riciclato)*.

2.6 Posizione degli aggettivi possessivi – Placement of possessive adjectives

The possessive adjective usually precedes the related noun, though in some standard phrases and exclamations, it follows it: **Vieni a casa mia?**; **Vorrei lavorare per conto mio.**; **Fatti gli affari tuoi**; **Mamma mia che bello!**; **Era la prima volta in vita mia che andavo a Venezia.**; **Per colpa sua ho perso l'aereo.**

G

3 Pronomi – Pronouns

3.1 I pronomi relativi *che* e *cui* – The relative pronouns *che* and *cui*

The relative pronoun ***che*** *is used as a subject or as a direct complement (without a preposition):* **Il ragazzo che canta si chiama Maurizio.**; **Il ragazzo che ho conosciuto ieri è irlandese.**

The relative pronoun ***cui*** *is always preceded by a preposition:* **Il libro di cui ti ho parlato è questo.**; **La casa in cui abito è fredda.**

Che *and* ***cui*** *do not inflect and are used both for people and for things.*

3.2 Verbi con oggetto diretto e indiretto – Verbs using direct or indirect objects

Pronouns are either direct **(complemento oggetto)** *or indirect* **(complemento di termine)**.
Direct pronouns make for direct objects following right after the verb: ■ **Conosci Paolo?** ▼ **Sì, lo conosco.**

In direct pronouns, the final vowel of the participle inflects for gender and number depending on the complement used:
■ **Hai visto Linda?** ▼ **Sì, l'ho vista ieri.**

Indirect pronouns instead make for indirect objects, as they do not follow right after the verbs but rather after a preposition: ■ **Scrivi tu a Marco?** ▼ **Sì, gli scrivo io.**

When using indirect pronouns, the participle does not inflect: ■ Hai telefonato a Camilla? ▼ Sì, le ho telefonato ieri.

Verbs followed by a direct complement		Verbs followed by a indirect complement	
aiutare ascoltare ringraziare seguire	**Tu lo aiuti molto.** **Non li ascolto più.** **La ringrazio davvero.** **Presto, li segua!**	chiedere a domandare a telefonare a	**Non gli ho chiesto niente.** **Le domande se viene.** **Le telefono domani.**

3.3 I pronomi combinati – Combined pronouns

If in a sentence there are two pronouns, the indirect pronoun precedes the direct one. The **-i** *of the 1st and the 2nd person (***mi, ti, ci, vi***) becomes* **-e** *(***me, te, ce, ve***):* ■ Chi vi presta la macchina? ▼ Ce la presta Giacomo.

	+ lo	+ la	+ li	+ le	+ ne
mi	me lo	me la	me li	me le	me ne
ti	te lo	te la	te li	te le	te ne
gli/le/Le	glielo	gliela	glieli	gliele	gliene
ci	ce lo	ce la	ce li	ce le	ce ne
vi	ve lo	ve la	ve li	ve le	ve ne
gli	glielo	gliela	glieli	gliele	gliene

Also the **-i** *of the reflexive pronoun (***mi, ti, si, ci, vi, si***) changes to* **-e** *when preceding another atonic pronoun (***me, te, se, ce, ve, se***):* Luca e Maria si scrivono molti messaggi: se li scrivono di continuo.

	+ lo	+ la	+ li	+ le	+ ne
mi	me lo	me la	me li	me le	me ne
ti	te lo	te la	te li	te le	te ne
si	se lo	gliela	glieli	gliele	gliene
ci	ce lo	ce la	ce li	ce le	ce ne
vi	ve lo	ve la	ve li	ve le	ve ne
si	se lo	me la	glieli	gliele	gliene

3.4 La posizione dei pronomi combinati – Placement of combined pronouns

Combined pronouns, like direct and indirect atonic pronouns, usually precede the verb. Only on some occasions they follow the verb and constitute a single word with it, when using an imperative, an infinitive or a gerund.

■ Sono tuoi questi occhiali? ▼ Oh sì, dammeli per favore!	■ Mi presteresti la tua macchina? ▼ Oggi no, ma posso prestartela domani. (*also*: te la posso prestare domani).	■ Cosa ti ha detto quando ti ha dato la macchina? ▼ Prestandomela mi ha pregato di fare attenzione.

3.5 I pronomi possessivi – Possessive pronouns

The possessive pronoun takes the place of a noun and, unlike the adjective, is always preceded by a definite article or an articulated preposition: Prestami la tua *(adjective)* bicicletta, la mia *(pronoun)* è rotta., Mia *(adjective)* sorella è laureata e la tua *(pronoun)*?

È mio, è nostro, è vostro*, ecc. are used to express ownership:* ■ Di chi è quest'ombrello? ▼ È mio.

3.6 La particella *ci* – The pronominal particle *ci*

Ci can replace complements introduced by the particle **con***:*

■ Come ti trovi con la macchina nuova? ▼ Mi ci trovo molto bene!
È una persona interessante e ci (con lei) parlo sempre volentieri.

The pronominal particle ***ci*** *can be used in place of a word or sentence introduced by the preposition* ***a.***

abituarsi a	■ Non ti sei abituata agli occhiali?	▼ No, non mi ci sono ancora abituata.
credere a	■ Credi all'oroscopo?	▼ Sì, un po' ci credo.
pensare a	■ Pensi ancora a Claudio?	▼ Sì, ci penso sempre.
rinunciare a	■ Rinunci spesso alla macchina?	▼ Beh, ci rinuncio il più possibile.
riuscire a	■ Sei riuscito a finire quel lavoro?	▼ No, non ci sono ancora riuscito.

3.7 La particella *ne* – The pronominal particle *ne*

Ne can be used while referring to a topic in expressions like ***pensarne, parlarne, dirne, averne voglia.***

pensarne	■ Che ne (= di qualcosa che ho detto) pensate?	▼ Sì, è un'ottima idea!
parlarne	■ Conosci questo libro?	▼ Sì, me ne ha parlato Giorgia.
dirne	■ Che ne dici di andare al mare domani?	▼ Sì, che bello!
averne voglia	■ Andiamo al cinema?	▼ No, grazie, non ne ho voglia.

3.8 Alcuni verbi pronominali – Some pronominal verbs

*Some verbs, when used together with an invariable pronoun (**la, ci,** ecc.), change their original meaning.*

farcela
The verb ***farcela*** *means "accomplishing something". It is followed by* ***a + infinito:*** Non ce l'ho fatta a venire.

andarsene
The verb ***andarsene*** *means "leaving":* ***Me ne vado alle sei.***

metterci
The verb ***metterci*** *is used to express how much time is needed in order to do something:* Quanto tempo ci metti a prepararti?, Ci hai messo molto a imparare l'italiano?, Il treno ci ha messo tre ore ad arrivare a Napoli.

Be careful not to mix up ***metterci*** *with* ***mettersi a fare qualcosa*** *(= start doing something):* Ci ha messo molto tempo a imparare i verbi irregolari (Ha impiegato...)., Si è messo subito a studiare i verbi irregolari (Ha cominciato...).

tenerci
The verb ***tenerci*** *means "to wish for":* Ci tengo a laurearmi quest'anno!

volerci
The verb ***volerci*** *means "to be necessary":* Per fare questo lavoro ci vuole molta esperienza.

spuntarla
The verb ***spuntarla*** *means "to win":* La Roma l'ha spuntata con un gol all'ultimo minuto.

piantarla, finirla
The verbs ***piantarla*** *and* ***finirla*** *mean "to stop doing something":* Se il mio vicino di casa non la pianta di suonare il sassofono chiamo la polizia., Finiscila di fare rumore! Sono stanco!

G

4 Verbi - Verbs

4.1 Uso del passato prossimo e dell'imperfetto – Use of the passato prossimo and of the imperfetto

*The **passato prossimo** is used to talk about an action which happened in the past and has ended:* **Ieri sera siamo andati al cinema.**

*The **imperfetto** is used to talk about an action which happened in the past, but not in a specific timeframe:* **I miei nonni abitavano in campagna.**

*The **passato prossimo** is used when referring to an action which took place only once in the past, while the **imperfetto** is used when referring to habitual actions taking place in the past or taking place regularly:* **Una volta siamo andati in piscina., Normalmente restavamo a casa.**

*The **imperfetto** is often used in combination with the following temporal expressions:*

normalmente: Normalmente andavo al mare a luglio. *di solito:* Di solito la sera andavamo a ballare.	*da bambino/-a:* Da bambina leggevo tantissimo. *da piccolo/-a:* Da piccolo avevo un cane.

When talking about more than one action taking place in the past one uses:

◊ *the **passato prossimo** when referring to events taking place one after the other:* **Sono uscito di casa, ho comprato un giornale e sono andato al bar.**

◊ *the **imperfetto** when referring to a series of events taking place at the same time and within no definite timeframe:* **Mentre guidavo, lui controllava la cartina.**

*In case the first action has not yet concluded when another begins, the **imperfetto** is used for the first and the **passato prossimo** for the second:* **Mentre leggevo, è entrata una ragazza.**

G

4.2 Uso del verbo *volere* all'imperfetto – The use of *volere* in the imperfetto

*The verb **volere** in the **imperfetto** is used for:*

◊ *politely ask for something:* **Volevo un etto di prosciutto.**

◊ *express a desire or an intention:* **Stasera volevamo andare a cena da Claudia.**

4.3 I verbi *sapere* e *conoscere* al passato prossimo e all'imperfetto – The verbs *sapere* and *conoscere* in the imperfetto and in the passato prossimo

*The verbs **sapere** and **conoscere** have two different meanings when used in the **passato prossimo** and in the **imperfetto**.*

Ho saputo che ti sposi.	*(gain a new information)*
Non sapevo che hai due bambini.	*(kwnowing already something)*
L'ho conosciuto ieri.	*(meet someone new)*
La conoscevo già.	*(having know someone or something)*

4.4 Il passato prossimo dei verbi modali - The passato prossimo of modal verbs

*If the modal verb (**dovere, potere, volere**) is followed by a verb which uses the auxiliary **avere** to form the **passato prossimo**, the **passato prossimo** of the modal verb will also be formed with **avere**:* **Ho dovuto accompagnare Pietro in ufficio., Sono dovuta andare a lavorare anche di sabato!**

*If the verb which follows the modal uses the auxiliary **essere** to form the **passato prossimo**, then also the modal verb will form it with **essere**:* **Ha voluto mangiare solo un'insalata., È voluto andare in pizzeria.**

4.5 Il trapassato prossimo

*The **trapassato prossimo** is formed by using the **imperfetto** of **avere** or **essere** and the past participle of the main verb.*

io	avevo mangiato	ero andato/-a
tu	avevi mangiato	eri andato/-a
lui, lei, Lei	aveva mangiato	era andato/-a
noi	avevamo mangiato	eravamo andati/-e
voi	avevate mangiato	eravate andati/-e
loro	avevano mangiato	erano andati/-e

*The **trapassato prossimo** is used to talk about an action that took place in the past, which happened before another action in the past.*
Già is usually placed between the auxiliary and the past participle: **Quando sono arrivata a casa, mio marito aveva già cenato., Quando sono arrivata, Franco era già andato via.**

4.6 Il passato remoto

4.6.1 Forms of the passato remoto

Verbi regolari – Regulas verbs

	abit**are**	cred**ere**	dorm**ire**
io	abit**ai**	cred**ei**/cred**etti**	dorm**ii**
tu	abit**asti**	cred**esti**	dorm**isti**
lui, lei, Lei	abit**ò**	cred**é**/cred**ette**	dorm**ì**
noi	abit**ammo**	cred**emmo**	dorm**immo**
voi	abit**aste**	cred**este**	dorm**iste**
loro	abit**arono**	cred**ettero**/cred**erono**	dorm**irono**

*In the 1st and 3rd person singular and in the 3rd person plural, regular verbs ending in **-ere** present two forms.*

Verbi irregolari – Irregular verbs
*Many verbs ending in **-ere** present an irregular conjugation for the 1st and 3rd person singular (**io, lui/lei/Lei**) and for the 3rd person plural (**loro**).*
*The most common verbs presenting an irregular conjugation for the **passato remoto** are:*

avere	ebbi, avesti, ebbe, avemmo, aveste, ebbero
bere	bevvi, bevesti, bevve, bevemmo, beveste, bevvero
chiedere*	chiesi, chiedesti, chiese, chiedemmo, chiedeste, chiesero
conoscere	conobbi, conoscesti, conobbe, conoscemmo, conoscesti, conobbero
dare	diedi/detti, desti, diede/dette, demmo, deste, diedero/dettero
dire**	dissi, dicesti, disse, dicemmo, diceste, dissero
essere	fui, fosti, fu, fummo, foste, furono
fare	feci, facesti, fece, facemmo, faceste, fecero
nascere	nacqui, nascesti, nacque, nascemmo, nasceste, nacquero
sapere	seppi, sapesti, seppe, sapemmo, sapeste, seppero
stare	stetti, stesti, stette, stemmo, steste, stettero
tenere	tenni, tenesti, tenne, tenemmo, teneste, tennero
vedere	vidi, vedesti, vide, vedemmo, vedeste, videro
venire	venni, venisti, venne, venimmo, veniste, vennero
volere	volli, volesti, volle, volemmo, voleste, vollero

G

other verbs with the **passato remoto formed with -si: chiudere (**chiusi**), correre (**corsi**), decidere (**decisi**), mettere (**misi**), perdere (**persi** or the regular form **perdei/perdetti**), prendere (**presi**), ridere (**risi**), rispondere (**risposi**), scendere (**scesi**), spendere (**spesi**).*
***other verbs with the **passato remoto** formed with -ssi: discutere (**discussi**), leggere (**lessi**), scrivere (**scrissi**), vivere (**vissi**).*

4.6.2 L'uso del passato remoto – The use of passato remoto

*The **passato remoto** is generally used in literary texts, when talking about an historic event or about an action that took place in the far past:* **Albert Einstein nacque nel 1879., Mio fratello visse un anno a Londra quando era ragazzo.**

*In the spoken language, the **passato remoto** is used only in some regions of Central-Southern Italy. In other regions the **passato prossimo** is more commonly used.*

4.6.3 Uso del passato remoto e dell'imperfetto – The use of passato remoto and imperfetto

***Passato remoto** and **imperfetto** are used in combination in the same way as **passato prossimo** (what happened?) and **imperfetto** (what was the situation like?):* **Dormivo da un paio d'ore quando squillò (è squillato) il telefono.**

4.7 Il futuro semplice – The simple future

4.7.1 Forme del futuro semplice – Forms of the simple future

Verbi regolari – Regular verbs

	abitare	credere	dormire	spedire
io	abiterò	crederò	dormirò	spedirò
tu	abiterai	crederai	dormirai	spedirai
lui, lei, Lei	abiterà	crederà	dormirà	spedirà
noi	abiteremo	crederemo	dormiremo	spediremo
voi	abiterete	crederete	dormirete	spedirete
loro	abiteranno	crederanno	dormiranno	spediranno

Verbi irregolari – Irregular verbs

andare	andr-	-ò
avere	avr-	-ai
bere	bevr-	-à
dovere	dovr-	-emo
essere	sar-	-ete
potere	potr-	-anno

rimanere	rimarr-	-ò
sapere	sapr-	-ai
tenere	terr-	-à
vedere	vedr-	-emo
venire	verr-	-ete
volere	vorr-	-anno

Some verbs use, in the future tense, an irregular root. The endings are identical to those of regular verbs.

*Other irregular verbs are: **dare → darò, fare → farò, stare → starò.***

4.7.2 Usi del futuro – The use of the simple future

The simple future is used:
◊ *to talk about actions that will take place in the future:* **Domenica andremo al mare.**
◊ *to make hypothesis:* **Che dici? Questo pesce sarà fresco?**

The following temporal expressions are used together with the future form:
fra/tra: **Fra/Tra due mesi mi sposerò.**
quando: **Quando avrò 60 anni ritornerò in Italia.**
prima o poi: **Prima o poi cambierai idea.**

4.8 L'imperativo formale (*Lei*) – The polite imperative (*Lei*)

4.8.1 Forme dell'imperativo formale – Forms of the polite imperative

Verbi regolari – Regular verbs

	lavor**are**	prend**ere**	dorm**ire**	fin**ire**
Lei	lav**ori**	prenda	dorma	fin**isca**

Verbi irregolari – Irregular verbs

	andare	avere	dare	dire	essere	fare	sapere	stare	tenere	venire
Lei	vada	abbia	dia	dica	sia	faccia	sappia	stia	tenga	venga

4.8.2 Posizione dei pronomi con l'imperativo formale *(Lei)* – Placement of the pronoun in the polite imperative *(Lei)*

When using the polite imperative, the pronouns ***ci*** *and* ***ne*** *precede the verb:* **Ci vada subito!, Si accomodi!, Ne prenda ancora uno!**

4.8.3 Imperativo formale negativo – Negative polite imperative

The negative polite imperative is formed with ***non*** *+ the imperative:* **Non prenda troppo sole!**

If any pronouns are used, they are placed between ***non*** *and the verb:* **Non lo beva tutto!**

4.9 Il congiuntivo presente

4.9.1 Forme del congiuntivo presente – Forms of the congiuntivo presente

Verbi regolari – Regular verbs

	lavor**are**	prend**ere**	dorm**ire**	cap**ire**
io	lavori	prenda	dorma	capisca
tu	lavori	prenda	dorma	capisca
lui, lei, Lei	lavori	prenda	dorma	capisca
noi	lavor**iamo**	prend**iamo**	dorm**iamo**	cap**iamo**
voi	lavor**iate**	prend**iate**	dorm**iate**	cap**iate**
loro	lavor**ino**	prend**ano**	dorm**ano**	cap**iscano**

*The 1st, 2nd and 3rd person singular are identical. In order to distinguish them, one often uses them in conjunction with the personal pronoun for the subject. The 1st person plural (**noi**) is identical to the 1st person plural of the **indicativo presente**. Verbs ending in **-care** and in **-gare** present a **-h** before the desinence of the congiuntivo: cercare → cer**chi**.*

Verbi irregolari – Irregular verbs

	io, tu, lui, lei, Lei	noi	voi	loro
andare fare uscire venire volere	vada faccia esca venga voglia	andiamo facciamo usciamo veniamo vogliamo	andiate facciate usciate veniate vogliate	vadano facciano escano vengano vogliano

*Excluding some exceptions, the forms of the singular and of the 3rd person plural all derive from the 1st person singular of the **indicativo presente**.*

G

*The verbs **essere** and **avere** behave differently:*

	io, tu, lui, lei, Lei	noi	voi	loro
essere avere	sia abbia	siamo abbiamo	siate abbiate	siano abbiano

4.9.2 Uso del congiuntivo presente – Use of the congiuntivo presente

*The **congiuntivo** is mostly used when talking about the subjective position of the speaker in regards to certain events. The **congiuntivo** is often used in subordinate clauses introduced by **che** if the subject of the subordinate is not the same as that of the principal clause.*

*The **congiuntivo** follows these expressions:*
◊*Verbs and forms used to voice a personal opinion:*

Credo che / Penso che / Suppongo che – **lui non sia italiano.**

*With the following expressions though, the mood used is the **indicativo** and not the **congiuntivo**:*

Secondo me / Per me / Sono sicuro che – **lui non è italiano.**

◊*Verbs and expressions used to convey doubt or uncertainty:*

Mi sembra che / Non sono sicuro che – **parli anche lo spagnolo.**

◊*Verbs and expressions conveying hope:*

Spero che / Mi auguro che – **Mauro non faccia tardi.**

*The **congiuntivo** is also used in combination with the following impersonal expressions:*

È necessario che / È importante che / È fondamentale che – **Luisa ci telefoni.**

4.9.3 Il congiuntivo imperfetto

Verbi regolari – Regular verbs

	abitare	credere	dormire
io	abitassi	credessi	dormissi
tu	abitassi	credessi	dormissi
lui, lei, Lei	abitasse	credesse	dormisse
noi	abitassimo	credessimo	dormissimo
voi	abitaste	credeste	dormiste
loro	abitassero	credessero	dormissero

*The first and second person of the singular are the same (**io parlassi, tu parlassi**). In order to avoid any ambiguity, the personal pronoun is often stated:* **Vorrebbe che io venissi., Vorrebbe che tu venissi.**

Verbi irregolari - Irregular verbs
Following are some verbs presenting irregular forms.

bere	bevessi, bevessi, bevesse, bevessimo, beveste, bevessero
dare	dessi, dessi, desse, dessimo, deste, dessero
dire	dicessi, dicessi, dicesse, dicessimo, diceste, dicessero
essere	fossi, fossi, fosse, fossimo, foste, fossero
fare	facessi, facessi, facesse, facessimo, faceste, facessero
stare	stessi, stessi, stesse, stessimo, steste, stessero

4.9.4 Il congiuntivo passato

The ***congiuntivo passato*** *is formed using the* ***congiuntivo presente*** *of* ***essere*** *or* ***avere*** *+ the past participle of the main verb:* **Può darsi che l'abbia venduta., Credo che sia già arrivato a casa.**

	mangiare	andare
io	abbia mangiato	sia andato/-a
tu	abbia mangiato	sia andato/-a
lui, lei, Lei	abbia mangiato	sia andato/-a
noi	abbiamo mangiato	siamo andati/-e
voi	abbiate mangiato	siate andati/-e
loro	abbiano mangiato	siano andati/-e

4.9.5 Il congiuntivo trapassato

The ***congiuntivo trapassato*** *is formed by using the* ***congiuntivo imperfetto*** *of* ***essere*** *or* ***avere*** *+ the past participle of the main verb:* **Pensavo che quel libro tu l'avessi già letto., Credevo che fosse già partita.**

	mangiare	andare
io	avessi mangiato	fossi andato/-a
tu	avessi mangiato	fossi andato/-a
lui, lei, Lei	avesse mangiato	fosse andato/-a
noi	avessimo mangiato	fossimo andati/-e
voi	aveste mangiato	foste andati/-e
loro	avessero mangiato	fossero andati/-e

4.9.6 L'uso dei tempi al congiuntivo – The choice of tenses in the congiuntivo

We learned that often the ***congiuntivo*** *is used in a subordinate clause in order to convey a sense of subjectivity or uncertainty (paragraph 4.9.2). The choice of the tense depends on the tense used for the verb in the principal clause and on the temporal relation between the two clauses.*
The ***congiuntivo passato*** *is used in a subordinate clause following a principal clause with a verb in the* ***indicativo presente, indicativo futuro*** *or in the* ***imperativo****, when talking about an action taking place before the one described in the principal clause.*
Following a principal clause with a verb in the ***indicativo imperfetto****, one uses the* ***congiuntivo imperfetto*** *in the dependant clause if the action takes place at the same time as the one in the principal clause, or the* ***congiuntivo trapassato*** *if the action takes place before the one in the principal clause.*

Penso		**lui esca.**	(now = simultaneously)
Penso		**lui sia già uscito.**	(before = previously)
	che		
Pensavo		**lui uscisse.**	(at that time = simultaneously)
Pensavo		**lui fosse uscito.**	(before = previously)

G

*Following a principal clause with a verb in the **condizionale presente** or an expression conveying will, doubt or uncertainty, the **congiuntivo imperfetto** is used in the dependant clause when talking about an action taking place at the same time, and the **congiuntivo trapassato** when talking about an action taking place before the one described in the principal clause.*

Preferirei che tu me lo chiedessi.	(now = simultaneously)
Vorrei che fosse già partito.	(before = previously)
Avrei preferito che tu me l'avessi chiesto.	(at that time = previously)

4.9.7 L'uso del congiuntivo nelle frasi secondarie – Use of congiuntivo in dependant clauses

*The use of the **congiuntivo** in dependant clauses following some impersonal verbs and expressions was presented in paragraph 4.9.2.*

*The **congiuntivo** is also used:*

◊ *with the following conjunctions:*

***sebbene, nonostante, malgrado, benché*:** **Sebbene/Nonostante/Malgrado/Benché fosse tardi, siamo riusciti a trovare un ristorante aperto.**

***a condizione che, a patto che, purché*:** **È un libro interessante, a condizione che/a patto che/purché ti piaccia il genere.**

affinché, perché: **Gli ho regalato dei soldi affinché/perché si comprasse un computer nuovo.**

nel caso che, nel caso in cui: **Ti lascio le chiavi nel caso che/nel caso in cui arrivi Maria.**

come se: **Mi parli come se fossi sordo.**

prima che: **Prima che Luca arrivasse, Silvia era già andata via.**

senza che: **È partito senza che nessuno lo vedesse.**

a meno che: **Ti presto la mia macchina, a meno che tu non preferisca prendere il treno.**

◊ *following some expressions:*

il fatto che: **Le dispiaceva il fatto che i suoi amici non andassero d'accordo.**

non è che: **Non è che sia cattivo, semplicemente è un po' distratto.**

◊ *in relative clauses*

- *if the principal clause contains a relative superlative:* **È una delle più belle storie d'amore che io abbia mai letto., Venezia è la città più romantica che io abbia mai visitato.**
- *if the principal clause contains the adjective **unico/solo**:* **Era l'unica/la sola donna che abbia amato.**
- *if a wish or a condition is expressed in the principal clause:* **Nel mio ufficio cercano qualcuno che parli inglese.**

4.10 Il condizionale passato

*The **condizionale passato** is formed with the **condizionale presente** of **essere** or **avere** + the past participle of the main verb.*

	mangiare	andare
io	avrei mangiato	sarei andato/-a
tu	avresti mangiato	saresti andato/-a
lui, lei, Lei	avrebbe mangiato	sarebbe andato/-a
noi	avremmo mangiato	saremmo andati/-e
voi	avreste mangiato	sareste andati/-e
loro	avrebbero mangiato	sarebbero andati/-e

G

*The **condizionale passato** is used to talk about an unattained or unattainable goal, or an action which should have taken place but has not:* **Avrebbero potuto aprire una clinica privata (ma non l'hanno aperta)., Sarebbe stato meglio costruire una scuola (ma non l'hanno costruita).**

*The **condizionale passato** is often used in newspapers when referring to something which happened allegedly but is not certain:* **L'uomo sarebbe andato in banca e avrebbe incontrato il complice (dicono che sia andato in banca e abbia incontrato il complice).**

*Following a principal clause with a verb in the **indicativo passato (passato prossimo, imperfetto, trapassato, passato remoto)**, the **condizionale passato** is used when talking about an action taking place in the future:* **Avevo capito che sareste venuti!**

*For the use of the **condizionale passato** in dependant clauses, refer to description of the **periodo ipotetico** (paragraph 6) and of the indirect discourse (paragraph 9).*

4.11 Il gerundio - Gerund

4.11.1 Forme del gerundio – Tenses of the gerund

Italian presents two tenses for the gerund: present and past.
*The gerund present is formed by adding the suffixes **-ando** (for verbs ending in **-are**) and **-endo** (for verbs ending in **-ere** and **-ire**) to the infinitive form of the verb. It does not inflect.*
*The gerund past is formed with the gerund present of **essere** or **avere** (**essendo, avendo**) + the past participle of the main verb.*

	parl**are**	legg**ere**	part**ire**
gerundio presente	parl**ando**	legg**endo**	part**endo**
gerundio passato	**avendo parlato**	**avendo letto**	**essendo partito/-a/-i/-e**

4.11.2 Il gerundio presente – Gerund present

The gerund is used in dependant clauses and can assume various meanings.
It usually describes an action taking place at the same time as that in the principal clause.

cause	**Conoscendo le tue idee, non ho detto niente.**	(Perché? – Perché conoscevo…)
time	**L'ho incontrato andando a casa.**	(Quando? – Mentre andavo…)
means	**Leggendo si impara molto.**	(Con che mezzo? – Con la lettura)
mode	**Arrivarono correndo.**	(In che modo? – Di corsa)
hypothesis	**Comprando qualche mobile la casa diventerebbe più bella.**	(Se comprassimo…)
simultaneousness	**Abbassò gli occhiali sorridendo.**	(E contemporaneamente sorrise)

Usually the subject of the two sentences is the same. In causal or hypothetical clauses, the subject can differ from that of the principal clause: **Essendo tardi (poiché era tardi), Carlo trovò la porta chiusa.**

4.11.3 L'uso del gerundio passato – Use of the gerund past

The gerund past works as a subordinate clause and is used when the action described in the subordinate takes place before the one in the principal.

frase secondaria	frase principale
Non avendo trovato (prima) stanza libere,	**il signor Rossi rinunciò (dopo) al viaggio.**

*When the auxiliary **essere** is used, the past participle agrees with the subject:* **Flavia e Camilla, non essendo venute a lezione venerdì scorso, oggi hanno avuto grossi problemi a seguire la spiegazione.**

All pronouns follow the gerund.

4.12 L'infinito - Infinitive

4.12.1 Forme dell'infinito – Tenses of the infinitive

Italian presents two tenses for the infinitive: infinitive present and past.
Infinitive present is the form appearing in the dictionary for any verb. It ends in ***-are, -ere*** *o* ***-ire (andare, vedere, sentire)****. The past infinitive is formed with the present infinitive of* ***avere*** *or* ***essere*** *+ the past participle of the main verb.*

aver(e) visto	esser(e) andato/-a/-i/-e

4.12.2 *Stare per* + infinito – *Stare per* + infinitive

Stare per *+ infinitive is used to refer to the moment preceding the start of an action, both in the past and in the present:* **Stavamo per uscire, ma poi Gianni si è sentito male., Sto per arrivare.**

4.12.3 *Prima di* / Dopo + infinito – *Prima di* / Dopo + infinitive

In a temporal subordinate clause introduced by ***prima di****, the verb is always in the infinitive present. In a temporal subordinate clause introduced by* ***dopo****, the verb is in the infinitive past.*

Both are only used if the subject of the subordinate is the same as that of the principal clause.
Prima di trasferirmi a Roma avevo seguito un corso di italiano. (io... io)
Dopo aver(e) letto il giornale il signor Rossi ha cambiato idea. (lui... lui)
Dopo esser(e) uscita si è accorta di aver dimenticato l'ombrello. (lei... lei)

If the subject is not the same, one uses ***prima che*** *+* ***congiuntivo*** *and* ***dopo che*** *+* ***indicativo****.*

same subject		different subject	
Ti telefono prima di partire.	(io... io)	Ti telefono prima che tu parta.	(io... tu)
Dopo aver mangiato mi riposo.	(io... io)	Ti telefono dopo che i miei sono usciti.	(io... loro)

4.12.4 *Fare* + infinito – *Fare* + infinitive

Fare *+ infinitive can assume three different meanings in Italian: "lasciare", "fare in modo che", "permettere".*
Non disturbare il gatto! Fallo dormire in pace! (*Don't bother the cat! **Let him sleep!***)
Hai già fatto riparare il computer? (***Have you had** the computer **repaired?***)
I genitori fanno vedere troppa TV a bambini. (*Parents **allow** their kids **to watch** too much TV.*)

4.13 Verbi impersonali – Impersonal verbs

bisogna: **Bisogna comprare il biglietto prima di salire sull'autobus.**
Bisogna *+ infinitive is used to express a necessity.* ***Bisogna*** *does not inflect for gender or number.*

servire
When the verb ***servire*** *(almost always in the negative form) is followed by a verb, this verb will be in the infinitive form:* **Non ti serve aspettare.**
When the verb ***servire*** *is followed by a noun, the verb agrees with the noun (singular or plural):* **Mi serve un cappotto nuovo** (*singular*)**., Mi servono tre uova** (*plural*).

4.14 L'uso del verbo *dovere* per esprimere un'ipotesi – The verb *dovere* to make hypothesis

The verb ***dovere*** *is often used to make hypothesis:* **La grammatica dovrebbe essere lì (forse è lì. Credo sia lì)., Dovrebbe essere andato a casa (Secondo me è andato a casa)., Deve aver preso il treno delle 8:00 (Penso che abbia preso il treno delle 8.00).**

4.15 Il passivo - The passive voice

4.15.1 Il passivo con *essere* e *venire* - The passive voice with *essere* or *venire*

All transitive verbs, which are verbs needing a direct object, can be conjugated in the passive voice.
Active form: **Carlo ha ritrovato il libro.**
Passive form: **Il libro è stato ritrovato da Carlo.**

The passive voice is made up of the verb ***essere*** *or the verb* ***venire*** *+ the past participle of the main verb.* ***Venire*** *can only be used in combination with simple tenses. For compound tenses one uses* ***essere.***

presente indicativo	sono inviato	vengo inviato
imperfetto indicativo	ero inviato	venivo inviato
passato remoto	fui inviato	venni inviato
futuro semplice	sarò inviato	verrò inviato
futuro anteriore	sarò stato inviato	--
passato prossimo	sono stato inviato	--
trapassato prossimo	ero stato inviato	--
congiuntivo presente	sia inviato	venga inviato
congiuntivo passato	sia stato inviato	--
condizionale presente	sarei inviato	verrei inviato
condizionale passato	sarei stato inviato	--

Venire *is generally used to describe a process:* **Solo il 15% dei volumi viene trovato da una persona.**
Essere *is generally used to describe a condition:* **La biblioteca è illuminata da cinque grandi finestre.**

The past participle agrees with the gender and number of the noun to which it refers: **La sua intervista sarà pubblicata la prossima settimana., I suoi romanzi verranno letti da migliaia di persone.**

The person or thing performing the action (agent) is preceded by the preposition ***da.***

Active form	Passive form
Oggi milioni di persone usano la posta elettronica.	Oggi la posta elettronica è usata da milioni di persone.
Un sito internet ha organizzato l'esperimento.	L'esperimento è stato organizzato da un sito internet.

4.15.2 La forma passiva con il verbo *andare* - The passive voice with *andare*

The verb ***andare*** *+ the past participle of the main verb can be used to form the passive. This passive voice conveys a sense of duty or necessity and can only be use with simple tenses (with the exception of the* ***passato remoto****):* **Le auto vanno lasciate nei parcheggi (Le auto devono essere lasciate nei parcheggi)., Il problema andrà discusso (Il problema dovrà essere discusso)., L'errore andava corretto (L'errore doveva essere corretto).**

4.16 La concordanza dei tempi all'indicativo - Agreement of indicativo tenses

As is the case for the ***congiuntivo****, also for the agreement of the* ***indicativo*** *tenses the choice of the tense of the subordinate clause depends on the tense of the verb used in the principal clause and the temporal relation between the two clauses.*
In a subordinate following a principal clause with a verb in the present, one will use the ***passato prossimo*** *when talking about a previous action, the present when talking about a simultaneous action and the simple future when talking about a future action. In a subordinate following a principal clause with a verb in the past, one will use the* ***trapassato prossimo*** *when talking about a previous action, the* ***imperfetto*** *when talking about a simultaneous action and the* ***condizionale passato*** *when talking about a future action.*

So che	è tornato.	(yesterday)
	torna.	(today)
	tornerà.	(in the future)
Sapevo / Avevo saputo che	era tornato.	(the day before)
	tornava.	(that day)
	sarebbe tornato.	(the day after)

G

5 La forma impersonale – The impersonal form

5.1 La forma impersonale (1) – The impersonal form (1)

◊ *With reflexive verbs:*
The impersonal form of a reflexive verb is formed by ***ci*** *+* ***si*** *+ third person singular of the verb:* **Ci si sposa sempre meno e ci si separa sempre di più.**

In compound tenses the participle is in the masculine plural form: **Ci si è completamente abituati all'uso delle e-mail.**

◊ *In compound tenses:*
Compound tenses in the impersonal form always require the auxiliary ***essere****.*
The past participle remains the same if the main verb in the personal form requires the auxiliary ***avere*** *to form the* ***passato prossimo****:* **A quella cena si è mangiato molto. (ho mangiato)**
If a direct object appears in the clause, the past participle agrees with it: **A quella festa si sono bevute molte bottiglie di coca-cola. (ho bevuto + oggetto diretto)**
If the main verb in the personal form requires the the auxiliary ***essere*** *to form the* ***passato prossimo****, the past participle is in the masculine plural form:* **Si è riusciti a evitare un disastro. (sono riuscito)**

◊ *with* ***essere****:*
With the verb ***essere****, nouns and adjectives are in the plural form:* **Se si è amici, ci si dovrebbe aiutare., Non si dovrebbe essere troppo categorici.**

5.2 La forma impersonale (2) – The impersonal form (2)

The impersonal form can be created also in other ways.

◊ *with the indefinite pronoun* ***uno****:* **Uno si abitua facilmente alla comodità.**

◊ *with the passive form:* **Qua sarà/verrà costruita una nuova scuola.**

◊ *with the 3rd person plural:* **Spesso dicono che i dolci fanno male., Hanno aperto un nuovo centro commerciale., Che film danno stasera?**

When the verb ***dire*** *has been used in a principal clause in the third person as an impersonal, the verb of the dependant clause needs to be in the congiuntivo:* **Dicono che Cristoforo Colombo non fosse genovese., Dicono che l'acquario di Genova sia il più bello d'Italia.**

6 The periodo ipotetico – *If* clauses

6.1 Il periodo ipotetico della realtà – Zero conditional

The ***periodo ipotetico della realtà*** *(zero conditional) is used when the condition (introduced by se) is deemed realistic. In this case one uses the future tense for both the condition and the consequence:*
Se arrivo tardi → ti chiamo. **Se non verrai alla festa → non verrà neanche Franco.**

For the consequence one can also use the imperative or the conditional:
Se vedi Teresa → dille di portarmi il libro. **Se ha un attimo di tempo → Le vorrei domandare una cosa.**

6.2 Il periodo ipotetico della possibilità – *If* clauses (possibility)

If the clause introduced by ***se*** *represents an improbable, but still possible condition, its verb will be in the* ***congiuntivo imperfetto*** *and the verb of the principal clause in the* ***condizionale presente****:*
Se mi regalassero qualcosa che non mi piace → non direi niente. **Se avessi molti soldi → comprerei una casa.**

6.3 Il periodo ipotetico dell'irrealtà – *If* clauses (impossibility)

If the clause introduced by ***se*** *expresses a condition which did not come to be in the past, the verb is in the* ***congiuntivo trapassato*** *and the verb of the principal clause is in the* ***condizionale passato****:*
Se l'avessi saputo prima → sarei venuto in metropolitana. **Se tu fossi venuto → ne sarei stata felice.**

G

The condition and the consequence need not be simultaneous. The condition can refer to the past and the consequence to the present: **Se avessi mangiato di meno** (*yesterday*), **non starei così male** (*today*).

In the spoken language the ***congiuntivo trapassato*** *and the* ***condizionale passato*** *can sometimes be replaced by the* ***indicativo imperfetto:*** **Se si alzava, prima non perdeva il treno (Se si fosse alzata, prima non avrebbe perso il treno).**

7 Le congiunzioni - Conjunctions

Conjunctions are used in order to link two sentences together.

Some conjunctions are useful as a means to understand which past tense is to be use.

mentre

The conjunction ***mentre*** *is generally accompanied by the* ***imperfetto:*** **Mentre studiavo ascoltavo la musica., L'ho incontrato mentre tornavo a casa.**

quando

Following the conjunction ***quando,*** *both* ***passato prossimo*** *and* ***imperfetto*** *can be used.*

Quando + passato prossimo	*Is used to describe an action that begins while another action is still taking place, or for a given action in the past:* **Stavo leggendo quando è entrata., Quando si è sposato aveva solo vent'anni.**
Quando + imperfetto	*Is used to describe an action lasting a finite amount of time taking place in the past:* **Quando abitavo in città non uscivo mai fuori a giocare.**

Other conjunctions

ma/però Mi piace la cioccolata ma/però non posso mangiarla.	*quindi* Avevo sete, quindi sono andata al bar.
perché Non vengo in piscina perché non sto bene.	*quando* Quando l'ho vista mi sono innamorato subito.

8 Gli avverbi – Adverbs

Adverbs are used to modify verbs, adjectives or even other adverbs.

Gli avverbi in *-mente* – Adverbs in *-mente*

The suffix ***-mente*** *changes the feminine form of an adjective into an adverb:* **Effettivamente è strano (effettiva → effettivamente)., Ho camminato molto velocemente. (veloce → velocemente).**

Adjectives ending in ***-le, -lo, -re, -ro,*** *loose their last letter:* **Probabilmente hai confuso il numero. (probabile → probabilmente)**

magari

The adverb ***magari*** *means "maybe", "probably", "perhaps" and it is followed by an hypothesis, a possibility:* **Oggi non posso venire, magari ci vediamo domani.**

mica

The adverb ***mica*** *is used to give emphasis to a negation:* **Mica sei obbligato a mangiare tutto.**
If ***mica*** *is placed after the verb,* ***non*** *must precede the verb:* **Non sei mica simpatico! = Mica sei simpatico!**

Temporal expressions

all'inizio: **All'inizio non mi ha riconosciuto.**
alla fine: **Alla fine siamo andati a bere qualcosa.**
fino a: **Lavoro fino alle 15:00.**

Some adverbial expressions

In many cases adverbs can be formed by a group of words. Here are some examples:

in buona parte	Il merito è stato in buona parte di tuo fratello.
in certi casi	Forse in certi casi è meglio fare come dici tu.
d'altra parte	Domani vado a pagare le tasse, d'altra parte penso che sia l'ultimo giorno.
senza dubbio	Roberto a quest'ora sarà senza dubbio arrivato in ufficio.
da sempre	Io abito a Roma da sempre.

Unusual comparative and superlative forms

Some adverbs present some irregularities in the formation of the comparative and the superlative: **Dopo tutti i corsi che hai fatto, dovresti parlare l'inglese molto meglio di così.; Ieri stavo male, ma oggi sto peggio.**

adverb	comparative	absolute superlative
bene	meglio	benissimo/molto bene
male	peggio	malissimo/molto male
molto	(di) più	moltissimo
poco	(di) meno	pochissimo/molto poco

9 Il discorso indiretto – Indirect speech

9.1 Il discorso indiretto con frase principale al presente – Indirect speech with the verb of the principal in the present tense

Indirect speech is introduced by verbs like ***dire, affermare****, ecc. If the principal clause introducing indirect speech is in the present tense (or in the past with a present sense), the verb tense and mode remain the same, though the person can change.*

	Marco dice/ha detto che
«Flavia è uscita».	Flavia è uscita.
«Non mi sento bene».	non si sente bene.

G

9.2 Il discorso indiretto con frase principale al passato - Indirect speech with the principal clause in the past

When the direct discourse is introduced in the main clause by a verb in the ***passato prossimo****, the verb tenses change.*

◊ *The* ***presente indicativo*** *becomes the* ***imperfetto indicativo*** *when wanting to highlight the fact that the action took place in the past.*

«Io qui mi trovo bene». — **Ha detto che lì si trovava bene.**

◊ *The* ***presente indicativo*** *remains as it is when wanting to highlight the fact that the action is still relevant.*

«Io qui mi trovo bene». — **Ha detto che lì si trova bene.**

◊ *The* ***passato prossimo*** *remains* ***passato prossimo****.*

«Lorenzo è uscito». — **Ha detto che Lorenzo è uscito.**

◊ *The* ***imperfetto*** *remains* ***imperfetto****.*

«Stavo male con la barba». — **Ha detto che stava male con la barba.**

◊ *If the direct discourse is in the imperative, the indirect form makes use of* ***di*** *+ infinitive.*

«Trovati un'altra casa!». — **Mi ha detto di trovarmi un'altra casa.**

When switching between direct and indirect discourse some grammatical elements can change:

personal pronouns	io	> lui/lei
possessive pronouns	mio	> suo
adverbs	qui/qua	> lì/là
	ieri	> il giorno prima/il giorno precedente/quel giorno
	oggi	> quel giorno
	domani	> il giorno dopo/il giorno seguente/l'indomani
demonstratives	questo	> quello
the adjective ***prossimo***	prossimo	> seguente
fra (temporal)	fra due giorni	> dopo due giorni

9.3 La frase interrogativa indiretta – Indirect questions

The indirect interrogative clause is preced by verbs such as ***chiedere, domandare, voler sapere*** *and introduce by the conjunction* ***se****.*

Direct question	Indirect question
«Mi presti qualcosa per il matrimonio di Daniela?».	**Mi ha chiesto se le prestavo qualcosa per il matrimonio di Daniela.**

For indirect questions, the same rules apply as for the indirect speech.

The verb of the dependant clause can be in the ***congiuntivo*** *or in the* ***indicativo****. The choice is more a matter of style than rules.*

Direct question	Indirect question
«Ti trovi bene qui?».	**L'amica le ha chiesto se si trovava/se si trovasse bene lì.**

Prima coniugazione – verbi in *-are*

MODI FINITI

INDICATIVO

	presente		passato prossimo		imperfetto		trapassato prossimo
io	parl**o**	io	**ho** parl**ato**	io	parl**avo**	io	**avevo** parl**ato**
tu	parl**i**	tu	**hai** parl**ato**	tu	parl**avi**	tu	**avevi** parl**ato**
lui / lei / Lei	parl**a**	lui / lei / Lei	**ha** parl**ato**	lui / lei / Lei	parl**ava**	lui / lei / Lei	**aveva** parl**ato**
noi	parl**iamo**	noi	**abbiamo** parl**ato**	noi	parl**avamo**	noi	**avevamo** parl**ato**
voi	parl**ate**	voi	**avete** parl**ato**	voi	parl**avate**	voi	**avevate** parl**ato**
loro	parl**ano**	loro	**hanno** parl**ato**	loro	parl**avano**	loro	**avevano** parl**ato**

	futuro semplice		futuro anteriore		passato remoto		trapassato remoto
io	parl**erò**	io	**avrò** parl**ato**	io	parl**ai**	io	**ebbi** parl**ato**
tu	parl**erai**	tu	**avrai** parl**ato**	tu	parl**asti**	tu	**avesti** parl**ato**
lui / lei / Lei	parl**erà**	lui / lei / Lei	**avrà** parl**ato**	lui / lei / Lei	parl**ò**	lui / lei / Lei	**ebbe** parl**ato**
noi	parl**eremo**	noi	**avremo** parl**ato**	noi	parl**ammo**	noi	**avemmo** parl**ato**
voi	parl**erete**	voi	**avrete** parl**ato**	voi	parl**aste**	voi	**aveste** parl**ato**
loro	parl**eranno**	loro	**avranno** parl**ato**	loro	parl**arono**	loro	**ebbero** parl**ato**

CONGIUNTIVO

	presente		passato		imperfetto		trapassato
io	parl**i**	io	**abbia** parl**ato**	io	parl**assi**	io	**avessi** parl**ato**
tu	parl**i**	tu	**abbia** parl**ato**	tu	parl**assi**	tu	**avessi** parl**ato**
lui / lei / Lei	parl**i**	lui / lei / Lei	**abbia** parl**ato**	lui / lei / Lei	parl**asse**	lui / lei / Lei	**avesse** parl**ato**
noi	parl**iamo**	noi	**abbiamo** parl**ato**	noi	parl**assimo**	noi	**avessimo** parl**ato**
voi	parl**iate**	voi	**abbiate** parl**ato**	voi	parl**aste**	voi	**aveste** parl**ato**
loro	parl**ino**	loro	**abbiano** parl**ato**	loro	parl**assero**	loro	**avessero** parl**ato**

CONDIZIONALE				IMPERATIVO	
	presente		passato		
io	parl**erei**	io	**avrei** parl**ato**	-	
tu	parl**eresti**	tu	**avresti** parl**ato**	tu	parl**a**!
lui / lei / Lei	parl**erebbe**	lui / lei / Lei	**avrebbe** parl**ato**	Lei	parl**i**!
noi	parl**eremmo**	noi	**avremmo** parl**ato**	noi	parl**iamo**!
voi	parl**ereste**	voi	**avreste** parl**ato**	voi	parl**ate**!
loro	parl**erebbero**	loro	**avrebbero** parl**ato**	loro	parl**ino**!

MODI INDEFINITI

INFINITO		GERUNDIO		PARTICIPIO	
semplice	parl**are**	semplice	parl**ando**	presente	parl**ante**
passato	**avere** parl**ato**	passato	**avendo** parl**ato**	passato	parl**ato**

Seconda coniugazione – verbi in *-ere*

MODI FINITI

INDICATIVO

presente		passato prossimo		imperfetto		trapassato prossimo	
io	ricev**o**	io	**ho** ricev**uto**	io	ricev**evo**	io	**avevo** ricev**uto**
tu	ricev**i**	tu	**hai** ricev**uto**	tu	ricev**evi**	tu	**avevi** ricev**uto**
lui / lei / Lei	ricev**e**	lui / lei / Lei	**ha** ricev**uto**	lui / lei / Lei	ricev**eva**	lui / lei / Lei	**aveva** ricev**uto**
noi	ricev**iamo**	noi	**abbiamo** ricev**uto**	noi	ricev**evamo**	noi	**avevamo** ricev**uto**
voi	ricev**ete**	voi	**avete** ricev**uto**	voi	ricev**evate**	voi	**avevate** ricev**uto**
loro	ricev**ono**	loro	**hanno** ricev**uto**	loro	ricev**evano**	loro	**avevano** ricev**uto**

futuro semplice		futuro anteriore		passato remoto		trapassato remoto	
io	ricev**erò**	io	**avrò** ricev**uto**	io	ricev**ei**/ricev**etti**	io	**ebbi** ricev**uto**
tu	ricev**erai**	tu	**avrai** ricev**uto**	tu	ricev**esti**	tu	**avesti** ricev**uto**
lui / lei / Lei	ricev**erà**	lui / lei / Lei	**avrà** ricev**uto**	lui / lei / Lei	ricev**é**/ricev**ette**	lui / lei / Lei	**ebbe** ricev**uto**
noi	ricev**eremo**	noi	**avremo** ricev**uto**	noi	ricev**emmo**	noi	**avemmo** ricev**uto**
voi	ricev**erete**	voi	**avrete** ricev**uto**	voi	ricev**este**	voi	**aveste** ricev**uto**
loro	ricev**eranno**	loro	**avranno** ricev**uto**	loro	ricev**erono**/ricev**ettero**	loro	**ebbero** ricev**uto**

CONGIUNTIVO

presente		passato		imperfetto		trapassato	
io	ricev**a**	io	**abbia** ricev**uto**	io	ricev**essi**	io	**avessi** ricev**uto**
tu	ricev**a**	tu	**abbia** ricev**uto**	tu	ricev**essi**	tu	**avessi** ricev**uto**
lui / lei / Lei	ricev**a**	lui / lei / Lei	**abbia** ricev**uto**	lui / lei / Lei	ricev**esse**	lui / lei / Lei	**avesse** ricev**uto**
noi	ricev**iamo**	noi	**abbiamo** ricev**uto**	noi	ricev**essimo**	noi	**avessimo** ricev**uto**
voi	ricev**iate**	voi	**abbiate** ricev**uto**	voi	ricev**este**	voi	**aveste** ricev**uto**
loro	ricev**ano**	loro	**abbiano** ricev**uto**	loro	ricev**essero**	loro	**avessero** ricev**uto**

CONDIZIONALE

presente		passato	
io	ricev**erei**	io	**avrei** ricev**uto**
tu	ricev**eresti**	tu	**avresti** ricev**uto**
lui / lei / Lei	ricev**erebbe**	lui / lei / Lei	**avrebbe** ricev**uto**
noi	ricev**eremmo**	noi	**avremmo** ricev**uto**
voi	ricev**ereste**	voi	**avreste** ricev**uto**
loro	ricev**erebbero**	loro	**avrebbero** ricev**uto**

IMPERATIVO

-	
tu	ricev**i**!
Lei	ricev**a**!
noi	ricev**iamo**!
voi	ricev**ete**!
loro	ricev**ano**!

MODI INDEFINITI

INFINITO		GERUNDIO		PARTICIPIO	
semplice	ricev**ere**	semplice	ricev**endo**	presente	ricev**ente**
passato	**avere** ricev**uto**	passato	**avendo** ricev**uto**	passato	ricev**uto**

G

Terza coniugazione – verbi in *-ire*

MODI FINITI

INDICATIVO

	presente	passato prossimo	imperfetto	trapassato prossimo
io	part**o**	**sono** part**ito/a**	part**ivo**	**ero** part**ito/a**
tu	part**i**	**sei** part**ito/a**	part**ivi**	**eri** part**ito/a**
lui / lei / Lei	part**e**	**è** part**ito/a**	part**iva**	**era** part**ito/a**
noi	part**iamo**	**siamo** part**iti/e**	part**ivamo**	**eravamo** part**iti/e**
voi	part**ite**	**siete** part**iti/e**	part**ivate**	**eravate** part**iti/e**
loro	part**ono**	**sono** part**iti/e**	part**ivano**	**erano** part**iti/e**

	futuro semplice	futuro anteriore	passato remoto	trapassato remoto
io	part**irò**	**sarò** part**ito/a**	part**ii**	**fui** part**ito/a**
tu	part**irai**	**sarai** part**ito/a**	part**isti**	**fosti** part**ito/a**
lui / lei / Lei	part**irà**	**sarà** part**ito/a**	part**ì**	**fu** part**ito/a**
noi	part**iremo**	**saremo** part**iti/e**	part**immo**	**fummo** part**iti/e**
voi	part**irete**	**sarete** part**iti/e**	part**iste**	**foste** part**iti/e**
loro	part**iranno**	**saranno** part**iti/e**	part**irono**	**furono** part**iti/e**

CONGIUNTIVO

	presente	passato	imperfetto	trapassato
io	part**a**	**sia** part**ito/a**	part**issi**	**fossi** part**ito/a**
tu	part**a**	**sia** part**ito/a**	part**issi**	**fossi** part**ito/a**
lui / lei / Lei	part**a**	**sia** part**ito/a**	part**isse**	**fosse** part**ito/a**
noi	part**iamo**	**siamo** part**iti/e**	part**issimo**	**fossimo** part**iti/e**
voi	part**iate**	**siate** part**iti/e**	part**iste**	**foste** part**iti/e**
loro	part**ano**	**siano** part**iti/e**	part**issero**	**fossero** part**iti/e**

CONDIZIONALE

	presente	passato
io	part**irei**	**sarei** part**ito/a**
tu	part**iresti**	**saresti** part**ito/a**
lui / lei / Lei	part**irebbe**	**sarebbe** part**ito/a**
noi	part**iremmo**	**saremmo** part**iti/e**
voi	part**ireste**	**sareste** part**iti/e**
loro	part**irebbero**	**sarebbero** part**iti/e**

IMPERATIVO

-	
tu	part**i**!
Lei	part**a**!
noi	part**iamo**!
voi	part**ite**!
loro	part**ano**!

MODI INDEFINITI

INFINITO		GERUNDIO		PARTICIPIO	
semplice	part**ire**	semplice	part**endo**	presente	part**ente**
passato	**essere** part**ito**	passato	**essendo** part**ito**	passato	part**ito**

Terza coniugazione – verbi in *-ire* (con *-isc-*)

MODI FINITI

INDICATIVO

	presente	passato prossimo	imperfetto	trapassato prossimo
io	prefer**isco**	**ho** prefer**ito**	prefer**ivo**	**avevo** prefer**ito**
tu	prefer**isci**	**hai** prefer**ito**	prefer**ivi**	**avevi** prefer**ito**
lui / lei / Lei	prefer**isce**	**ha** prefer**ito**	prefer**iva**	**aveva** prefer**ito**
noi	prefer**iamo**	**abbiamo** prefer**ito**	prefer**ivamo**	**avevamo** prefer**ito**
voi	prefer**ite**	**avete** prefer**ito**	prefer**ivate**	**avevate** prefer**ito**
loro	prefer**iscono**	**hanno** prefer**ito**	prefer**ivano**	**avevano** prefer**ito**

	futuro semplice	futuro anteriore	passato remoto	trapassato remoto
io	prefer**irò**	**avrò** prefer**ito**	prefer**ii**	**ebbi** prefer**ito**
tu	prefer**irai**	**avrai** prefer**ito**	prefer**isti**	**avesti** prefer**ito**
lui / lei / Lei	prefer**irà**	**avrà** prefer**ito**	prefer**ì**	**ebbe** prefer**ito**
noi	prefer**iremo**	**avremo** prefer**ito**	prefer**immo**	**avemmo** prefer**ito**
voi	prefer**irete**	**avrete** prefer**ito**	prefer**iste**	**aveste** prefer**ito**
loro	prefer**iranno**	**avranno** prefer**ito**	prefer**irono**	**ebbero** prefer**ito**

CONGIUNTIVO

	presente	passato	imperfetto	trapassato
io	prefer**isca**	**abbia** prefer**ito**	prefer**issi**	**avessi** prefer**ito**
tu	prefer**isca**	**abbia** prefer**ito**	prefer**issi**	**avessi** prefer**ito**
lui / lei / Lei	prefer**isca**	**abbia** prefer**ito**	prefer**isse**	**avesse** prefer**ito**
noi	prefer**iamo**	**abbiamo** prefer**ito**	prefer**issimo**	**avessimo** prefer**ito**
voi	prefer**iate**	**abbiate** prefer**ito**	prefer**iste**	**aveste** prefer**ito**
loro	prefer**iscano**	**abbiano** prefer**ito**	prefer**issero**	**avessero** prefer**ito**

CONDIZIONALE

	presente	passato
io	prefer**irei**	**avrei** prefer**ito**
tu	prefer**iresti**	**avresti** prefer**ito**
lui / lei / Lei	prefer**irebbe**	**avrebbe** prefer**ito**
noi	prefer**iremmo**	**avremmo** prefer**ito**
voi	prefer**ireste**	**avreste** prefer**ito**
loro	prefer**irebbero**	**avrebbero** prefer**ito**

IMPERATIVO

-
tu prefer**isci**!
Lei prefer**isca**!
noi prefer**iamo**!
voi prefer**ite**!
loro prefer**iscano**!

MODI INDEFINITI

INFINITO		GERUNDIO		PARTICIPIO	
semplice	prefer**ire**	semplice	prefer**endo**	semplice	prefer**ente**
passato	**avere** prefer**ito**	passato	**avendo** prefer**ito**	passato	prefer**ito**

Alcuni verbi irregolari al passato remoto

avere
io ebbi
tu avesti
lui/lei/Lei ebbe
noi avemmo
voi aveste
loro ebbero

bere
io bevvi
tu bevesti
lui/lei/Lei bevve
noi bevemmo
voi beveste
loro bevvero

chiedere
io chiesi
tu chiedesti
lui/lei/Lei chiese
noi chiedemmo
voi chiedeste
loro chiesero

chiudere
io chiusi
tu chiudesti
lui/lei/Lei chiuse
noi chiudemmo
voi chiudeste
loro chiusero

conoscere
io conobbi
tu conoscesti
lui/lei/Lei conobbe
noi conoscemmo
voi conosceste
loro conobbero

correre
io corsi
tu corresti
lui/lei/Lei corse
noi corremmo
voi correste
loro corsero

dare
io diedi/detti
tu desti
lui/lei/Lei diede/dette
noi demmo
voi deste
loro diedero/dettero

decidere
io decisi
tu decidesti
lui/lei/Lei decise
noi decidemmo
voi decideste
loro decisero

dire
io dissi
tu dicesti
lui/lei/Lei disse
noi dicemmo
voi diceste
loro dissero

G

discutere
io discussi
tu discutesti
lui/lei/Lei discusse
noi discutemmo
voi discuteste
loro discussero

essere
io fui
tu fosti
lui/lei/Lei fu
noi fummo
voi foste
loro furono

fare
io feci
tu facesti
lui/lei/Lei fece
noi facemmo
voi faceste
loro fecero

leggere
io lessi
tu leggesti
lui/lei/Lei lesse
noi leggemmo
voi leggeste
loro lessero

mettere
io misi
tu mettesti
lui/lei/Lei mise
noi mettemmo
voi metteste
loro misero

nascere
io nacqui
tu nascesti
lui/lei/Lei nacque
noi nascemmo
voi nasceste
loro nacquero

perdere
io persi/perdei/perdetti
tu perdesti
lui/lei/Lei perse/perdette
noi perdemmo
voi perdeste
loro persero/perdettero

prendere
io presi
tu prendesti
lui/lei/Lei prese
noi prendemmo
voi prendeste
loro presero

ridere
io risi
tu ridesti
lui/lei/Lei rise
noi ridemmo
voi rideste
loro risero

rispondere
io risposi
tu rispondesti
lui/lei/Lei rispose
noi rispondemmo
voi rispondeste
loro risposero

sapere
io seppi
tu sapesti
lui/lei/Lei seppe
noi sapemmo
voi sapeste
loro seppero

scendere
io scesi
tu scendesti
lui/lei/Lei scese
noi scendemmo
voi scendeste
loro scesero

scrivere
io scrissi
tu scrivesti
lui/lei/Lei scrisse
noi scrivemmo
voi scriveste
loro scrissero

spendere
io spesi
tu spendesti
lui/lei/Lei spese
noi spendemmo
voi spendeste
loro spesero

stare
io stetti
tu stesti
lui/lei/Lei stette
noi stemmo
voi steste
loro stettero

tenere
io tenni
tu tenesti
lui/lei/Lei tenne
noi tenemmo
voi teneste
loro tennero

vedere
io vidi
tu vedesti
lui/lei/Lei vide
noi vedemmo
voi vedeste
loro videro

venire
io venni
tu venisti
lui/lei/Lei venne
noi venimmo
voi veniste
loro vennero

vivere
io vissi
tu vivesti
lui/lei/Lei visse
noi vivemmo
voi viveste
loro vissero

volere
io volli
tu volesti
lui/lei/Lei volle
noi volemmo
voi voleste
loro vollero

Alcuni verbi irregolari al congiuntivo presente

andare
io vada
tu vada
lui/lei/Lei vada
noi andiamo
voi andiate
loro vadano

avere
io abbia
tu abbia
lui/lei/Lei abbia
noi abbiamo
voi abbiate
loro abbiano

bere
io beva
tu beva
lui/lei/Lei beva
noi beviamo
voi beviate
loro bevano

dare
io dia
tu dia
lui/lei/Lei dia
noi diamo
voi diate
loro diano

dire
io dica
tu dica
lui/lei/Lei dica
noi diciamo
voi diciate
loro dicano

dovere
io debba
tu debba
lui/lei/Lei debba
noi dobbiamo
voi dobbiate
loro debbano

essere
io sia
tu sia
lui/lei/Lei sia
noi siamo
voi siate
loro siano

fare
io faccia
tu faccia
lui/lei/Lei faccia
noi facciamo
voi facciate
loro facciano

potere
io possa
tu possa
lui/lei/Lei possa
noi possiamo
voi possiate
loro possano

sapere
io sappia
tu sappia
lui/lei/Lei sappia
noi sappiamo
voi sappiate
loro sappiano

stare
io stia
tu stia
lui/lei/Lei stia
noi stiamo
voi stiate
loro stiano

tenere
io tenga
tu tenga
lui/lei/Lei tenga
noi teniamo
voi teniate
loro tengano

uscire
io esca
tu esca
lui/lei/Lei esca
noi usciamo
voi usciate
loro escano

venire
io venga
tu venga
lui/lei/Lei venga
noi veniamo
voi veniate
loro vengano

volere
io voglia
tu voglia
lui/lei/Lei voglia
noi vogliamo
voi vogliate
loro vogliano

G

Alcuni verbi irregolari al congiuntivo imperfetto

bere
io bevessi
tu bevessi
lui/lei/Lei bevesse
noi bevessimo
voi beveste
loro bevessero

dare
io dessi
tu dessi
lui/lei/Lei desse
noi dessimo
voi deste
loro dessero

dire
io dicessi
tu dicessi
lui/lei/Lei dicesse
noi dicessimo
voi diceste
loro dicessero

essere
io fossi
tu fossi
lui/lei/Lei fosse
noi fossimo
voi foste
loro fossero

fare
io facessi
tu facessi
lui/lei/Lei facesse
noi facessimo
voi faceste
loro facessero

stare
io stessi
tu stessi
lui/lei/Lei stesse
noi stessimo
voi steste
loro stessero

appunti

appunti

appunti

appunti